비츄 현대 판타지 장편소설
WISHBOOKS MODERN FANTASY STORY

레벨업 어게인

LEVELUP
AGAIN

레벨업 어게인 3
LEVEL UP AGAIN

비츄 현대 판타지 장편소설

초판 1쇄 찍은 날 | 2017년 2월 8일
초판 1쇄 펴낸 날 | 2017년 2월 15일

지은이 | 비츄
펴낸이 | 예경원

기획 | 위시북스
편집책임 | 박우진
편집 | 이즈플러스

펴낸곳 | 예원북스
등록번호 | 제396-2012-000132호
등록일자 | 2012. 7. 25
KFN | 제1-067호

주소 | 경기도 고양시 일산동구 호수로 646-24 위너스21 II 빌딩 206A호 (우)10401
전화 | 031-819-9431 팩스 | 031-817-9432
E-mail | yewonbooks@naver.com

ISBN 979-11-6089-079-2 04810
       979-11-5845-304-6 (set)

레벨업 어게인
비츄 현대 판타지 장편소설
WISHBOOKS MODERN FANTASY STORY
LEVELUP AGAIN
3
Wish Books

CONTENTS

1장
이건 미쳤습니다요

신희아가 비명을 질렀다.

"꺄아악!"

오빠를 믿는 게 아니었다. 적어도 이때까지는 그런 줄 알았다.

그에 반해 강민영의 태도는 사뭇 달랐다.

"오빠, 날개를 공격하는 거 맞지?"

"……어……응."

이쯤 되니 오히려 당황한 건 신희현이다.

신희현이 봐도 저 몬스터, 그러니까 자이언트 비는 징그럽게 생겼다. 난폭하게 생긴 꿀벌을 수백 배 확대해 놓으면 저런 모습이 될 거다.

보통 사람은 사람의 손가락만 한 벌을 보고 크다고 말한다. 자이언트 비는 손가락 수준이 아니다. 손바닥도 아니다. 사람의 팔만 한 크기다.

그러다 보니 징그러운 입하며 털하며, 여자뿐만 아니라 남자들이 보기에도 충분히 징그럽고 무서웠다.

그럼에도 불구하고 강민영은 열정에 불타올랐다.

"파이어 볼."

이제는 시키는 대로 스킬명도 크게 크게 잘 외쳤다.

신강철은 또랑또랑한 눈으로 강민영을 쳐다봤다. 그는 마법사를 처음 본다.

'내가 할 건!'

희현이 형한테 배웠다. 이번에 할 일은 무조건 '체력 회복'이다. 강민영 누나와 희아 누나한테 열심히 그걸 써줘야 한다고 했다.

'마법 두 번에 한 번!'

손가락을 구부렸다. 왼손은 강민영, 오른손은 신희아다. 강민영이 마법 한 번을 썼으니 왼손 엄지를 구부렸다. 아직 능동적으로 상황에 대처할 능력이 되지 않았다. 그래서 신희현이 이런 단순한 매뉴얼을 만들어준 거다.

신희아가 당황했다.

"오, 오빠. 여, 여기로 날아와."

입에 달린 저 털마저도 너무 끔찍했다. 털끼리 부딪쳐 요상한 마찰음이 나는데 그것도 무서웠다.

벌레 형태의 몬스터. 신희아에게는 악몽이었다.

신희현은 거리를 계산했다.

'민영이가 공격하는 속도.'

놈의 날개를 봤다.

피해를 입은 정도.

'그렇다면.'

루시아를 소환할 필요는 없을 것 같다. 그도 지금은 체력을 아낄 때다. 굳이 총을 사용해 소란을 피울 필요도 없고.

"민영이가 계속 공격해."

그 자리에서 움직이지 않았다. 계산 결과, 충분했다.

"파이어 볼!"

기본 마법 파이어 볼이 자이언트 비의 날개를 공격했다.

타다닥!

모닥불 피어오르는 소리가 들렸다. 마치 비닐봉지가 불에 타들어 가는 것 같은 냄새가 났다. 자이언트 비의 날개에 구멍이 송송 뚫렸다.

신희아가 기겁했다.

"오, 오빠……!"

현재 최선두는 신희현. 그와 자이언트 비의 거리가 너무 가까워졌다.

"움직이지 마. 놈은 움직이는 물체에 반응해. 상대가 빠르게 움직이면 놈도 빠르게 움직여."

신희아는 울고 싶었다. 하지만 참았다. 지금 믿을 건 오빠뿐이다. 오빠를 믿기로 한 게 조금 후회되기는 했지만.

신희아를 물끄러미 쳐다보던 엘렌은 아주 천천히 움직여 신희아의 앞에 섰다. 자이언트 비가 안 보이도록 은근슬쩍 가려줬다. 신희아가 의식하지도 못할 만큼 천천히 말이다.

신희현의 눈에 자이언트 비가 보였다.

저 곤충 눈알, 거대한 대가리, 붕붕거리는 소리.

손 뻗으면 닿을 거리다.

강민영이 또 마법을 사용했다.

"파이어 볼!"

강민영도 긴장됐다. 너무 바로 앞이다. 그녀가 알기로 신희현은 전투 클래스가 아니다. 저렇게 커다란 벌이 공격하면 어떻게 될지 모른다.

그때.

쿵!

소리와 함께 자이언트 비가 땅에 떨어져 내렸다. 죽은 건 아니다. 날개가 망가져 바닥에 떨어졌을 뿐이다. 바닥에서 꿈틀거렸다.

"됐어. 이동하자."

강민영이 고개를 끄덕였다.

신강철은 흥미진진한 표정으로, 신희아는 울 것 같은 표정으로 걸음을 옮겼다.

이미 들어오기 전에 대략적으로 설명은 해놓았다. 자이언트 비는 기본적으로 한 마리씩 떨어져서 분포한다.

그런데 여기에는 함정이 하나 숨어 있다.

'한 마리를 죽이면.'

떼로 달려든다. 놈이 죽으면 '비르몬'이라는 특수한 액체 아이템을 드랍한다. 맛이 굉장히 좋고 건강에도 좋은, 일종의 꿀이다.

그런데 이 냄새가 다른 자이언트 비를 부른다. 함정인 거다. 근처의 자이언트 비들이 몰려든다. 까딱 잘못하면 벌 떼의 공격을 받을 수도 있는 거다. 초기에는 많은 플레이어가 이것 때문에 죽었다.

신희아의 얼굴이 하얗게 질렸다. 이 던전이라는 곳, 너무 무서웠다. 어두컴컴한 복도, 벽에 보이는 횃불, 천장에서 뚝뚝 떨어지는 물, 꿉꿉하고 끈적끈적한 느낌. 전부 무서웠다.

그런데 이런 상황이 되자.

'오빠는…….'

신희현이 조금 다르게 보이기도 했다. 평소에 의젓하고 믿음직스러운 것과는 조금 달랐다.

아까 거대한 꿀벌 앞에서 한 치의 요동도 없이 몬스터를 쳐다보고 있는 것을 보고 정말 많이 놀랐다. 보통 담력으로는 불가능한 일 아닌가. 전투 클래스도 아니라는데.

'오빠 도대체……'

솔직히 말해 멋있었다. 이 상황이 무서운 만큼 이 상황을 주도하고 있는 신희현이 대단해 보였다.

'나도 힘내자.'

무서운 건 사실이지만 겁에 질려 있기만 할 수는 없었다.

어두컴컴한 복도를 따라 걷다가 문에 도착했다.

'저 문은……'

오빠가 설명했었다. 꿀벌 몬스터를 잡을 거고, 그 몬스터를 잡은 다음 길을 따라 걷다 보면 어떤 문에 도달하게 될 거라고 했다. 그 문을 통과하면 작은 세이프티 존이 나타난다고 했다. 그리고 풍경도 바뀌게 될 거라고 했고.

신희아가 TIP 알림을 활성화했다.

[TIP: 정체를 알 수 없는 입구입니다.]

신희현이 말했다.

"내가 가장 먼저 들어갈 거야. 들어와서 움직이지 말고 가만히 있어. 우리 모두가 이동할 때까지."

신희현은 이러한 행동이 굉장히 자연스러워 보였다. 강민영의 파트너 험머가 호들갑을 떨었다.

"형님, 형님의 클래스는 길잡이 아닙니까요?"

아무리 봐도 길잡이다. 길잡이의 스킬은 없지만 그의 행동은 너무나 길잡이 같았다. 실제로 이곳, 던전에 길잡이 없이 왔는데 단 한 번도 길을 잃지 않고 정확한 방향으로 나아가고 있지 않은가. 물론 길이 어렵지는 않았지만, 보통의 경우 던전에 길잡이는 필수인데 말이다.

강민영이 험머의 코를 살짝 톡 쳤다.

"험머, 조용히 하도록 해. 공략에 집중하자."

험머의 어깨가 축 늘어졌다.

"……알겠습니다요."

신희현 일행이 이동했다.

알림이 들려왔다.

[던전 'Wild B' 내 몬스터 존, '가온 산'에 입장하였습니다.]

신희현이 주위를 둘러봤다.

'오랜만이네, 여기.'

던전이라고 해서 모두 클리어해야 되는 건 아니다.

대격변 이전까지 약 12개의 던전이 활성화된다. 개중에는 레벨 업에 효율적인 던전도 있고, 부자가 되기에 좋은 던전도 있다. 지나치게 위험한 던전도 있다. 필수로 클리어해야 하는 던전도 있고 아닌 던전도 있다.

'레벨 50대에 들어오는 건 처음이지만.'

그런데 이곳, Wild B는 모든 플레이어가 반드시 거쳐 가는 그런 곳이다. 그래야만 하는 곳이기도 했다.

가온 산. 세이프티 존.

신희현이 말했다.

"내가 이곳 클리어 조건에 대해서 말해줬지?"

신강철이 대답했다.

"응, 몬스터 400마리 잡기!"

신희아의 얼굴이 하얗게 질렸다. 400마리. 각성 후 여태까지 잡은 몬스터가 400마리가 안 된다.(그녀는 보조 클래스이며 스킬을 사용해서 레벨을 올리는 타입이다. 실제로 몬스터를 사냥해 본 적이 거의 없다.)

'400마리……'

도무지 감도 안 온다. 이 던전 내에 들어와서 아직 한 마리밖에 안 잡았다. 이렇게 해서 어느 세월에 400마리를 잡는단 말인가.

시간이 한참 걸릴 것 같다는 생각을 했다.

"그리고 주의할 점은?"

이번에는 강민영이 대답했다.

"보스 몬스터 존에는 절대 들어가지 말아야 해요."

"내가 말을 해주긴 할 거야. 육안으로도 충분히 구별되니까 조심해."

이 Wild B에는 보스 몬스터 존이 있다. 그것도 여기, '가온 산' 내에 있다. 그나마 다행인 점은 보스 몬스터 존이 육안으로도 구별된다는 것이다.

이곳은 가온 산. 현실에서 흔히 볼 수 있는 산의 형태다. 다만 높은 나무보다는 싸리나무처럼 작은 나무가 많고 덤불이 많았다. 녹색보다는 흙색이 더 많은 곳이다.

그런데 여기에는 풍경이 갑자기 어두워지는 곳이 있다. 흙색이 거의 검은색에 가까워지는 공간. 그곳이 바로 보스 몬스터 존이다. 그곳에 들어가는 순간 보스 몬스터 레이드가 시작된다. 지금의 전력으로는 아마 상대하기가 불가능할 거다.

그럴 가능성은 거의 없지만 한 번 더 강조했다.

"다시 한 번 말하지만 나를 앞서가는 일이 없도록 해. 보스 몹은 아직 못 잡아. 잘못하면 우리 전부 죽는 거야."

모두가 고개를 끄덕였다. 신희현이 다시 걸음을 옮겼다. 중간중간 자이언트 비가 보였다. 한 마리, 한 마리씩 떨어져 있어서 상대하기 어렵지 않았다.

'두 마리까진 괜찮아.'

지금의 전력으로 두 마리까지는 어찌어찌 막아낼 수 있다.

계속해서 산을 올랐다. 그런데 강민영이 뭔가 이상한 점을 발견했다.

"오빠……."

"엉?"

"뭔가…… 이상해."

신희현이 강민영을 쳐다봤다.

"뭐가?"

"여기……."

신희현이 고개를 갸웃했다. 뭐가 이상하다는 건지 정말 모르겠다는 태도였다.

"빨리 말해봐."

"그게…… 우리 계속 같은 곳을 돌고 있어."

신희현의 표정이 심각해졌다.

"뭐라고?"

"우리는 계속 위로 걸었는데. 여기는 우리가 아까 지나쳤던 지점이란 말이야."

"......."

엘렌은 뭔가 이상함을 느꼈다. 신희현의 태도. 놀란 척하지만 딱히 놀란 것 같지는 않았다.

'생각이 있으시겠지.'

신희아가 울상을 지었다. 거의 울먹거렸다.

길을 잃은 것 같단다. 함정에 빠진 것 같단다. 그런데 믿음직한 오빠마저도 지금 놀라고 있지 않은가.

"오빠......."

너무 무서웠다. 제대로 겁먹었다. 신희현이 씨익 웃었다.

"잘 찾아냈네."

신희현이 강민영의 머리를 쓰다듬었다. 역시 강민영이다. 천재는 천재인 모양이었다. 엘렌조차도 지금 뭐가 이상한지 깨닫지 못하고 있는데, 강민영이 이상한 낌새를 알아차렸다. 생각보다 훨씬 빨리.

신희현이 말했다.

"맞아. 계속 빙빙 돌고 있어."

씨익 웃었다.

'됐다.'

이곳에는 특수한 형태의 몬스터가 한 종류 있다. 자이언트 비와 같은 형태인데, 모습이 투명하다. 보이지 않는다는 소리다. 보이지 않는 대신 움직임이 굉장히 굼뜨고 공격력도 약하다.

놈이 나타나는 것은 원래 랜덤이라고 생각했었다. 다들 그런 줄 알았었다. 하지만 오랜 시간이 지난 후에 밝혀졌다. 파티원 중, 누군가가 정말로 겁에 질리게 되거나 깜짝 놀라게 되면 그때 몬스터가 나타났다.

그래서 일부러 말을 하지 않았다. 민영이가 알아차릴 거라고 생각했다. 그 순간, 동생인 희아는 겁에 질리게 될 거고. 그러면 놈이 나타나게 될 거다.

놈은 생각보다 훨씬 빨리 나타났다. 얼핏 보면 모른다. 하지만 자세히 보면 보인다. 뭔가 투명한 것이 꿈틀대고 있다.

예전에 길잡이였을 때는 정말 잘 보였었는데.

'와…… 진짜 잘 안 보이네.'

길잡이의 스킬이 없어서 그렇다. 하지만 눈에 불을 켜고 보면 못 볼 정도는 아니었다.

저놈은 발견이 어려워서 그렇지 일단 발견하고 나면 별거 아니다.

신희현이 물었다.

"민영이, 너 혹시 저쪽에 이상한 거 보여?"

음, 아무리 민영이라도 설마 모르겠지. 길잡이도 아니고 마법사인데. 나보다 레벨도 낮은데. 경험도 없는데. 모를 거야.

라고 생각했는데.

"어. 저기 뭐 있는 거 같아, 오빠."

황당하게도 저레벨(?) 마법사 강민영은 투명화된 자이언트 비, 정식 명칭 '고스트 비'가 있다는 것을 알아차렸다.

심지어.

"실루엣을 보면…… 자이언트 비랑 거의 똑같은 거 같은데."

실루엣을 맞혔고.

"이동 속도가 엄청 느려. 게다가 움직임이 위협적이지 않고."

놈의 특성까지도 알아맞혔다. 일반인의 눈으로 보면 거의 보이지도 않는데 말이다.

이쯤 되니 신희현도 할 말을 잃었다.

아무래도 내 여자 친구는 정말 대천재가 맞나 봐요.

"……놈의 날개를 공격할 수 있겠어?"

이곳을 빙빙 돈 이유가 바로 저놈 때문이다. 저놈이 있어야 이곳을 클리어할 수 있다.

최단 시간, 최저 레벨, 최소 인원으로 말이다.

강민영이 할 수 있겠다고 대답했다. 신희현이 고개를 끄덕였다. 이제부터 신희아의 역할이 가장 중요해질 거다.

"이제부터 내 말 잘 들어."

'Wild B' 공략. 이제부터가 진짜다. 모든 플레이어가 거쳐 가는 곳. 아니, 반드시 들어와야만 하는 이곳 'Wild B'를 제대로 공략하기로 했다.

그것도 겨우 레벨 50대에.

신희현이 강조했다.

희아, 네가 이제 정말 중요한 역할을 수행해야 한다고.

신희아는 고개를 끄덕였다. 아까의 알림을 떠올렸다.

['Wild B'를 최초로 발견하였습니다.]

[최초 발견 업적으로 인정됩니다.]

빛의 성웅이 공유한 공략집에 따르면 뭐가 됐든 일단 '최초'는 어떠한 메리트가 주어진다고 했던 것이 기억났다. 정확하게 말하자면 '어떠한 보상이 주어질 수도 있다'라고 쓰여있었던 것 같았다. 그게 이번이 될 줄은 몰랐다.

[스킬, '패시브 버프'가 생성됩니다.]

신희아는 주먹을 불끈 쥐었다.

패시브 버프. 스스로에게 사용하는 일종의 버프다. 다만, 액티브 스킬이 아니었다. 의식하지 않고 있어도 저절로 적용되는 버프로, '패시브 버프'를 가지고 있는 플레이어가 스킬을 사용하면 그 스킬의 효과가 +10% 중첩 적용되는 꽤나 유용한 패시브 스킬이다.

민영의 경우는 공격 범위가 10퍼센트 증가됐다면 희아의 경우는 효과가 10퍼센트 증가된 거다.

다만 제약이 있었다. 공격 스킬에는 적용이 되지 않았다. 보조, 혹은 방어 스킬에만 적용이 됐다. 보조 클래스인 신희아에게는 제격이었다.

강민영이 다시 한 번 외쳤다.

"파이어 볼."

타다닥!

눈에 보이지 않는 거대 꿀벌, 고스트 비가 땅에 추락했다.

신희아는 눈을 부릅뜨고 열심히 살펴봤다. 뭔가 공격당하고 있는 것은 맞는데 신희아의 눈에는 제대로 보이지 않았다. 그저 오빠가 언니더러 뭔가를 공격하라고 했고 언니가 그것을 공격하고 있는가 보다 할 뿐.

파트너인 엘렌 역시도 고스트 비를 볼 수 없었다. 뭐가 있는 것 같기는 한데 정확하게는 알 수 없었다.

이건 신희아나 엘렌의 잘못이 아니다. 강민영이 지나치게 뛰어날 뿐.

신희현이 말했다.

"놈이 땅에 떨어지면…… 파이어 볼 말고 단일 개체 상위 마법 사용해서 죽이자."

"응?"

강민영이 고개를 갸웃했다.

"무슨 마법?"

"파이어 볼 위에 파이어 랜스 있지 않아?"

"아, 그거……?"

대화를 하는 와중에도 강민영은 또다시 파이어 볼을 사용했다. 신희현은 침을 꿀꺽 삼켰다.

역시. 강민영은 타고난 마법사다. 보통 마법사들은 두 가지 일을 한꺼번에 못한다. 파이어 볼처럼 단순하고 쉬운 마법이라 할지라도 그것을 시전하는 와중에는 말조차도 제대로 못한다. 그것에 집중하기 때문이다.

'그때는 고수니까 그러려니 했지만.'

지금은 초보 마법사인데 어떻게 저럴 수가 있나 싶다.

이쯤 되면 좀 사기 같다는 생각을 했다. 아직 듀얼 캐스팅 같은 상위 보조 마법을 배우지도 않았는데 말이다.

'하기야.'

많은 마법사가 듀얼 캐스팅을 익히고 시전할 때에 강민영은 트리플 캐스팅을 익혔다. 남들이 한꺼번에 두 개 마법을 시전할 때, 강민영은 세 개씩 날려댔다. 그것도 특수 클래스인 '불의 법관' 전용 마법들을 말이다.

'듀얼 캐스팅도 모르는 상태에서 참.'

그런데 뭔가 조금 이상하기는 했다.

"나 파이어 랜스는 안 배웠어."

"응?"

……이상했다. 과거 강민영이 주력으로 사용했던 초급 스킬인데.

"그럼?"

"포인트로 주어지더라구."

"그렇지."

강민영이 웃었다. 웃는 얼굴로 파이어 볼을 시전했다. 그리고 말했다.

"대신 그 포인트를 불 바람에 투자했어."

데헷 하고 웃는데 파이어 볼 때문에 그녀의 얼굴이 붉게 빛났다. 순진무구하고 예쁜 미소를 뒤로하고 시뻘건 불덩어리가 고스트 비를 향해 날아갔다.

'파이어 랜스가 아닌…… 불 바람에 투자했다고……?'

신희현은 고스트 비에게 가까이 걸어갔다. 아이템 하나가 드랍됐다.

'운이 좋네.'

한 번에 드랍됐다.

[비얄 젤리를 획득하였습니다.]

역시 비얄 젤리다.

신희현은 비얄 젤리를 인벤토리에 넣지 않았다.

비얄 젤리는 비로몬과는 다르다.

비로몬의 경우, 다른 자이언트 비들을 끌어모은다.

비얄 젤리는 다른 고스트 비들을 끌어모은다.

자이언트 비는 위협적이지만 고스트 비는 위협적이지

않다.

"고스트 비가 몰려들 거야."

놈들은 위험하지 않은 몬스터다. 일종의 보너스 몬스터

랄까.

놈들이 몰려들었다. 놈들을 사냥했다.

고스트 비 약 30여 마리를 사냥했고 비얄 젤리 20개를 획

득했다.

"다음 지역으로 넘어갈 거야."

험머가 고개를 갸웃했다.

"아직 40마리도 못 잡았는데 말입니다……."

이 던전의 클리어 조건은 몬스터 400마리를 잡는 것이었

다. 이런 식으로 사냥하면 안전하고 빠르게 던전을 클리어할

수 있을 것 같은데 왜 굳이 자리를 옮기겠다는 건지 알 수 없

었다.

엘렌 역시 그 의견에 동의했다. 고스트 비는 위험하지 않은 몬스터다. 비얄 젤리를 얻으면 놈들을 끌어모을 수도 있다. 400마리 잡기가 수월할 수 있다는 뜻이다.

신희현이 엘렌을 힐끗 쳐다봤다.

"엘렌, 네 생각도 같아?"

"……아닙니다."

신희현이 씨익 웃었다.

"최저 레벨, 최단 시간, 최소 인원. 이 중에서도 제일 중요한 건…… 최소 시간이야."

고스트 비만 잡더라도 최소 시간 요건을 충족될 수도 있다. 하지만 그가 생각하는 노블레스 클리어 조건에는 미치지 못했다.

"다음 지역에서는 다들 긴장 바짝 해."

최용민과 김상목은 듀얼 플레이를 주로 한다.

김상목은 신났다.

"우리 정도면 수련의 방 퀘스트를 빠르게 클리어할 수 있지 않겠어?"

"그렇겠지."

최용민은 공략을 다시 한 번 살펴봤다. 수련 퀘스트를 빠르고 쉽게 클리어하기 위해서 조심해야 할 부분이 있었다.

"우르칸을 만나지 않기를 바라야겠지만……."

몬스터 존 '릴 랜드'. 그곳에는 제왕 우르칸이 있다고 했다. 만약 만난다 하면 레벨 70 이하는 절대 싸우지 말고 도망치거나 무기를 사용해서 공격하라고 되어 있었다.

최용민이 말했다.

"이걸로 빛의 성웅에 대해서 어느 정도는 알 수 있어."

"어떻게? 그 형 만날 수 있어?"

"적어도 총을 사용할 수 있는 사람."

여기서의 '사용'이란 '구입'의 의미도 내포하고 있다.

"평범한 한국인이 총을 구입할 수 있겠어?"

당연히 못 한다. 사냥용 엽총도 아닌.

"자동소총을 이용하라고 되어 있네."

최용민이 말을 이었다.

"그 말은, 빛의 성웅은 자동소총을 이용하여 놈을 잡은 적이 있거나……."

"그거 말고 또 있어?"

"레벨 70이 넘는다는 소리겠지."

"에이, 설마! 말도 안 돼!"

아무리 빛의 성웅이라도 어떻게 레벨 70을 넘는단 말인가.

지금 최고수들이 레벨 40 정도 된다. 그나마도 40의 벽을 깬 지 얼마 되지도 않았다.

그런데 70이 넘는다고? 거의 두 배 아닌가.

최용민이 말했다.

"빛의 성웅이라면 가능할 수도 있어."

"……뭐……그럴 수도 있지."

"어쨌든. 우리가 확인할 수 있는 단서는 하나야. 총을 구입할 수 있다면…… 적어도 우리 정도는 되어야겠지. 돈 있다고 아무나 다 살 수는 없으니."

어쩌면, 주변의 인물일지도 모르겠다는 생각을 해봤다. 그러고서 최용민이 물었다.

"파티원들은 모았어?"

"아…… 응."

이번 수련 퀘스트를 끝내고 나면 이번에는 F급 던전 Hosta minor를 공략하기로 했다.

빛의 성웅이 공략을 줬다. 최소 6명 이상이 파티를 이루고 권총을 사용해서 머리를 날려 버린 뒤, 좀비들이 리젠되기 전에 크리스털을 부수고 다른 방으로 이동하는 것. 단, 리젠 속도가 빠르니 총알을 넉넉히 준비해야 한다고 했다.

"믿을 만한 플레이어들로 추리는 것 잊지 말고."

"걱정 마, 걱정 마."

김상목이 히히히 웃었다.

"자자, 우리는 일단 수련 퀘스트에 집중하자. 우린 분명 엄청날 거야!"

분명히 A등급 클리어를 받을 수 있다고 생각했다.

만약 신희현이 봤으면 비웃었을 거다. 정말로 높은 퀘스트 등급을 받으려면 이런 잡다한 얘기를 나눌 시간도 없다. 만약 얘기를 나눈다 하더라도, 필수적으로 쉬어야만 하는 그 시간에 나눈다.

김상목이 의욕에 불탔다.

"까짓것. 최고 등급 받아버리자고."

그리고 앞장서서 걸었다.

"최고 등급! A를 향하여!"

신희현 일행은 네모난 곳에 입장했다. 몬스터 존, 와일드 스퀘어다.

신희아가 주위를 두리번거렸다.

"여기야……?"

이곳이 바로 Wild B를 클리어하는 최고 요충지라고 했다.

신희현이 말했다.

"긴장 놓지 마. 곧 시작될 거니까."

지금은 횡한 공터다. 사방은 절벽으로 둘러싸여 있다. 헌머가 몸을 바르르 떨었다.

"이곳에서…… 시작되는 것입니까……?"

그리고 그때 알림음이 들려왔다.

[Wild Boar가 출몰합니다.]

친절하게 출몰 시간까지 알려줬다.

10, 9, 8, 7.

시간이 줄어들었다.

"희아, 내가 말한 거 잊지 마."

신희아가 고개를 끄덕였다. 말로 듣는 것과 실제로 보는 건 느낌이 달라도 너무 달랐다.

신희아는 스스로를 다독였다.

'기, 긴장하면 안 돼. 신희아.'

비얄 젤리를 하나 입에 넣었다. 알림이 들려왔다.

[비얄 젤리 효과가 활성화됩니다.]

비얄 젤리의 효과는 놀라웠다. 효과는 비록 3분밖에 되지 않지만 그동안 스킬의 효과를 100퍼센트나 증가시켜 준다.

이 비얄 젤리는 뛰어난 효과만큼이나 후에 비싼 값에 판매가 된다. 공략이 풀리고 나서도 그랬다.

고레벨 플레이어는 고스트 비를 잡으러 돌아다닐 시간이 없다. 그래서 비싼 값을 주고 비얄 젤리를 사들였다. 고스트 비를 전문으로 사냥하는 플레이어도 있을 정도다.

하여튼 비얄 젤리는 저레벨 존에서 등장하는 아이템 중 거의 최고의 효과를 발휘하는 아이템이었다.

신희아가 스킬명을 외쳤다.

"멀티 실드!"

신희현 일행 앞에 푸르스름한 막이 생기기 시작했다. 그 막은 이내 신희현 일행을 돔 형태로 둘러쌌다.

카운트다운이 끝났다.

[Wild Boar가 출몰합니다.]

꿀. 꿀. 꿀.

전혀 귀엽지 않은, 꿀꿀대는 소리가 들려왔다. 신희아는 다리에 힘이 풀려 주저앉을 뻔했다.

"세, 세상에……."

저게 도대체 뭐야.

험머도, 엘렌도 침을 꿀꺽 삼켰다. 여태까지 저 정도로 대규모 몬스터 군집을 본 적이 없다.

F급 던전 Hosta minor에서도 군락을 보기는 했지만 이 정도는 아니었다.

그나마 좀비들은 벽을 기어오르지 못했다. 여기는 그런 것도 없다. 저 얇은 방어막에 의존해야 했다.

신희현이 씨익 웃었다.

"왔구나."

내 레벨 업 몬스터.

무섭지 않았다. 숫자는 대략 100마리 정도.

강민영 또한 비얄 젤리를 먹었다. 강민영 역시 두려워하지 않았다. 숫자가 저 정도 되면 무서울 법도 하건만, 그런 기색이 없었다.

어금니가 상아처럼 돌출된 멧돼지 무리. 그게 저 Wild boar 무리다.

이쪽을 발견하고 미친 듯이 달려왔다. 흙먼지가 뿌옇게 일었다. 땅이 흔들렸다. 100마리나 되는 엄청난 무리가 마구 달려오니 그럴 만도 했다.

"엘렌, 시작해."

엘렌이 하늘로 날았다. 그리고 미끌미끌 기름을 여기저기

뿌렸다.

"민영이, 네 차례."

강민영은 신희현이 신호를 주기도 전에 미리 자신의 타이밍을 알아차리고 준비를 하던 중이었다. 신희현의 명령이 떨어짐과 동시에 사용했다.

"불 바람!"

정확한 명칭은 불 바람+1이다.

신희아는 강민영을 쳐다봤다. 뭐랄까, 같은 여자로서 멋있었다. 저 거대한 무리에 전혀 위축되지 않고 있다. 오히려 이 상황을 즐기고 있는 것 같다고나 할까.

거기에 제대로 된 마법을 처음 보는 신희아다. 비록 고급 마법은 아니지만, 신희아의 눈으로 본 불 바람은 대단히 위력적이었다.

와일드 보어들이 미친 듯이 달렸다.

쿵! 쿵! 쿵!

소리가 들려왔다. 신희아는 방어막이 깨질 것 같은 두려움에 사로잡혔다. 무서웠다.

그때, 비얄 젤리를 섭취한 신희현이 누군가를 소환했다. 신희아는 모르는 남자(?)였다.

"칸드 소환."

그리고 바로 스킬을 사용했다.

"에이드 커튼."

신희아는 입을 쩍 벌렸다. 불 바람이 에이드 커튼을 만나 절벽 끝까지 치솟아 올랐다. 하늘 위에 떠 있는 엘렌에게까지 피해가 가는 것이 아닐까 싶을 정도였다. 불의 폭풍이 이 공간을 가득 채운 것 같았다. 강민영조차 놀랐다.

신희현도 놀랐다.

'예상은 했지만.'

이 정도일 줄이야.

미끌미끌 기름, 불 바람+1, 에이드 커튼 조합의 시너지 효과는 상상을 초월했다. 와일드 보어의 레벨은 약 40 정도 된다. 이 와일드 보어는 경험치를 엄청나게 많이 주는 놈들로 유명하다.

모든 플레이어가 이곳을 거쳐 가는 이유.

바로 이 와일드 보어 때문이다.

플레이어들은 말한다. 레벨 60부터 100까지는 순식간이라고. 차라리 1부터 30까지 올리는 게 더 어렵다고.

그 이유가 바로 이곳, 폭풍 레벨 업의 던전 Wild B 덕분이다.

물론 공략을 알고 있어야 한다는 전제가 깔리지만.

[Wild boar가 출몰합니다.]

신희현이 시간을 체크했다.

'아직 세 번은 충분해.'

또다시 와일드 보어 100여 마리가 생성됐다. 미친 듯이 달려들었다. 그리고 신희아는 멘붕 상태에 빠졌다. 미친 듯이 달려와 미친 듯이 죽었다.

[레벨이 올랐습니다.]

[레벨이 올랐습니다.]

[레벨이 올랐습니다.]

[레벨이 올랐습니다.]

[레벨이 올랐습니다.]

[레벨이 올랐습니다.]

끝없이 레벨 업 알림이 들려왔다.

험머가 중얼거렸다.

"이…… 이건 미쳤습니다요."

하늘 위의 엘렌도 땅에 떨어질 뻔했다. 신희현과 계속 함께했던 엘렌이지만 이번에는 놀랄 수밖에 없었다.

너무나 빠른 레벨 업 속도였다. 상상을 초월했다. 온갖 보정이 다 이뤄졌다. 거기에 더해.

'저 플레이어는 정말…….'

믿을 수 없었다. 저 혼잡한 대전투 와중에도 계속해서 알
림음이 들려왔다. 믿을 수 없었다. 다시 한 번 아래를 쳐다봤
다. 놀라운 알림이 계속 들려왔다.

2장
썩 괜찮은 시계 포장

엘렌은 황당했다.

[타 개체 콤보에 성공하였습니다!]

[8콤보]

[타 개체 콤보에 성공하였습니다!]

[21콤보]

[타 개체 콤보에 성공하였습니다!]

[34콤보]

[타 개체 콤보에 성공하였습니다!]

[48콤보]

상대가 신희현이다 보니 이제는 그렇게 놀랍지도 않을 것 같았지만 또 그게 아니었다.

저만치 아래, 와일드 보어 무리는 정말 엄청났다. 멧돼지로 이루어진 해일이 몰아치는 것 같은 그런 기분이었다.

위에서 봐도 그런데, 막상 당사자인 신희현은 얼마나 당혹스럽겠는가.

그 와중에 콤보다. 그것도 직접 하는 것이 아닌, 정령왕 칸드의 능력을 활용해서 말이다.

'정말이지.'

콤보가 이어졌다.

그렇게 50레벨, 50레벨을 노래 부르더니 그 이유가 저거였나 싶다.

'저 플레이어는······.'

엘렌은 신희현에게서 눈을 떼지 못했다.

뭐랄까, 조금······ 멋있는 것 같다는 생각을 했다.

'내가 무슨 생각을.'

수많은 와일드 보어가 나타났다 사라졌다. 와일드 보어는 경험치를 많이 주지만 레벨은 그렇게 높지 않다. 40 정도밖에 안 된다.

강민영과 신희현의 콜라보에 속절없이 녹아내렸다. 거기에 비얄 젤리를 섭취한 신희아의 방어 능력은 꽤나 출중했다. 신강철의 '체력 회복' 역시 커다란 도움이 됐다. 각각의 클래스가 모여 굉장히 높은 시너지 효과를 냈다.

정령왕 칸드의 경우 체력을 엄청나게 잡아먹는다. 그냥 소환만 하더라도 5분이 한계인데, 지금은 에이드 커튼까지 사용하고 있다. 결국 신희현에게 주어진 시간은 겨우 2~3분 남짓. 그리고 그 2~3분 동안 399마리를 죽였다. 엄청난 속도다.

신희현이 말했다.

"멈춰."

희아에게는 따로 말했다.

"희아, 너는 계속 스킬 유지하고."

칸드를 돌려보냈다. 그리고 라비트를 소환했다. 미리 준비했던 백팩을 하나 건네줬다. 말을 할 필요도 없다. 아이템을 챙기라는 거다. 필요한 것만. 딱 네 개뿐이다. 아이템을 상당히 많이 챙길 수 있을 법한 백팩이었다.

문제는 라비트의 자존심이었다.

"이 대공이 저런 잡다한 아이템을 주워야 한단 말이오?"

"양평 치즈 한 박스."

"모든 일에는 귀천이 없는 법이오. 내게 맡겨만 주시오."

신희아는 봤다. 라비트 대공의 눈이 반짝반짝 빛나며 귀가 쫑긋 솟아올랐다는 것을.

지금 남은 와일드 보어는 십여 마리 정도.

딱 이 정도가 한계다. 이 이상으로 와일드 보어를 사냥하면 또다시 리젠된다. 그러면 또다시 수백 마리가 이곳을 덮친다.

이제는 위험하다. 신희아 역시 숨이 턱 끝까지 차오른 상태인 데다가 칸드도 소환할 수 없다. 신강철도 헥헥대고 있었다.

그에 반해 민영은 약간 여유가 있는 상태였다.

"민영이는 한 마리 남은 저놈, 잡아."

"오케이!"

400마리를 잡을 수 있었다. 신희현은 씨익 웃었다.

'던전 클리어 조건은 이미 완료했고.'

나가기만 하면 된다. 마음 같아선 저기 떨어진 아이템을 전부 줍게 하고 싶었지만 그럴 수는 없었다. 어차피 나중에 또 오면 된다. 폭풍 레벨 업을 위해서라면, 좋든 싫든 어쨌든 이곳은 재방문을 해야만 하는 곳이다.

교감 덕택에 라비트는 신희현이 원하는 아이템들만 콕콕 집었다.

"그, 그것은 불가능하오."

아무리 내가 재빨라도 주인이 원하는 만큼의 속도는 나올 수 없단 말이오.

교감을 통해 전해져 오는, 제한 시간이 너무 짧았다.

"내 대공의 체면을 생각하여 이것만큼은 안 하려고 했으나."

라비트는 급한 대로 아이템들을 입안에 마구 집어넣었다. 가방에 넣을 시간이 없었다. 교감을 통해 느껴졌다. 신희현에게는 1초가 급한 모양이었다. 그래서 아이템 딱 4개를 챙겼다. 주변에 있는 '토파즈 원석'이라는 아이템이었다.

볼이 빵빵하게 부풀어 올랐다. 햄스터가 먹이를 보관하듯, 라비트 대공이 볼에 아이템을 보관했다.

"던전 클리어를 진행하겠다."

알림이 들려왔다.

[던전 클리어 요건을 만족했습니다.]

보상의 방으로 이동됐다. 보상의 방이 처음인 신희아도 놀라지는 않았다. 그녀도 이러한 내용들은 들어서 알고 있었다. 그녀가 정말 놀란 건 아까 그 멧돼지 떼였다.

'오빠는…….'

오늘을 계기로 오빠를 정말 다시 봤다. 뭐랄까, 있는 자의 여유랄까. 뭔가 그런 게 느껴졌다.

오빠 역시 이곳이 처음이라고 했는데 처음 온 사람 같지가 않았다.

　인정하기는 싫은데 멋있었다. 이 오빠가 내 오빠다. 자랑하고 싶은 마음이 든 적은 처음이었다.

　'헹, 자만하지 말라고. 앞으로는 절대 그럴 일 없을 테니까. 오늘은 처음이니까 조금 멋있어 보일 뿐이야.'

　그녀는 그렇게 생각했다. 이번이 처음이자 마지막일 거라고 말이다.

　험머가 호들갑을 떨었다. 그는 강민영과 단둘이 있으면 더욱 수다스러워지는 경향이 있었다.

　"정말 엄청납니다요!"

　보상의 방에서 시간이 조금 소요됐다.

　"어떻게 이럴 수가 있습니까요!"

　"험머도 많이 놀랐어?"

　"그렇습니다요. 신희현 플레이어는 상식을 완전히 벗어나는 플레이어입니다요!"

　시간이 흘렀다. 요소를 판정하는 알림음이 들려왔다.

　보상의 방에서 엘렌은 기대 아닌 기대를 했다.

　'이번에도 과연…….'

그녀의 직감은 말해주고 있었다. 이번에도 역시 노블레스 등급 클리어가 맞을 거다. 직감은 그렇게 말해주고 있으나, 그래도 혹시 모른다.

'노블레스 등급 클리어가 아닐 수도 있어.'

문득, 이런 생각을 하고 있는 자신에게 놀라고 말았다.

'노블레스 등급 클리어일 수도 있어'도 아니고 '노블레스 등급 클리어가 아닐 수도 있다'고 생각하고 있는 게 너무 웃긴 일 아닌가.

신희현을 만나기 전까지 노블레스 등급 클리어는, 적어도 지금 레벨 대에서는 이론상에만 존재하는 등급인 줄 알고 있었다.

'신희현 플레이어의 괴물 같은 능력에…… 나도 모르게 동화되고 있다.'

그렇게 생각했을 무렵.

[노블레스 등급 클리어로 인정됩니다.]

무려 연속 5회다.

[축하합니다!]
[연속 5회 노블레스 등급 클리어가 확인됐습니다.]

[위대한 업적으로 인정됩니다.]

F급 던전 Hosta minor에 이어 Wild B까지 노블레스로 클리어를 진행했다.

다른 말로 하자면 A등급을 초과하는 보상은 신희현이 독점했다고 보면 됐다. 말 그대로 '독점'이었다.

신희현은 씨익 웃었다.

'무려 5회 인정이다.'

그렇다면 이번에는 어떤 것이 나올까.

'노블레스 등급 클리어를 진행하면…….'

그가 과거로 돌아오기 이전에도 노블레스 등급 클리어는 분명히 있었다. 지금처럼 이른 시기는 아니었지만. 하여튼 노블레스 등급 클리어는 분명히 존재했고 그와 관련해 공개된 보상들도 있었다.

'내게 가장 필요한 건.'

지금 당장 그에게 가장 필요한 건 소환 시간을 늘려주는 스킬이라고 할 수 있겠다.

지금은 너무 제약이 컸다. 세 명의 소환 영령—단순히 영령이라기엔 종류가 다양한 편이지만—을 한꺼번에 부릴 수도 없다. 그러자면 체력 소모가 너무 커진다. 시간으로 치면 1~2분이 한계일 거다.

'그도 아니면······.'

그때 하나, 생각이 떠올랐다.

'그거······!'

그런데.

생각하지 못했던 알림음이 들려왔다.

[노블레스 등급 5회 연속 클리어.]

[프리미엄 노블레스 등급 업적으로 인정됩니다.]

신희현은 깜짝 놀랐다.

'프리미엄 노블레스?'

노블레스 위에 임페리얼 노블레스가 있다는 사실은 이미 알고 있었다. 그런데 프리미엄 노블레스라는 것도 있단다. 노블레스 등급 클리어를 연속 5회 진행하면 생기는 업적.

'이건 도대체······?'

뭔지는 모르겠지만 분명히 커다란 보상을 줄 거다. 등급이 높으면 높을수록 보상도 커지니까.

엘렌의 몸이 빛나기 시작했다. 저 광경, 본 적 있다. 시스템 메시지를 파트너를 통해 전달하는 것. 성웅으로 각성할 때도 그랬다. 그게 또 시작됐다.

엘렌의 몸이 허공에 떴다. 눈동자가 흰색으로 변했다.

"프리미엄 노블레스 등급 클리어로 인하여 보상의 성격이 변경됩니다."

설명이 이어졌다.

"신희현 플레이어는 노블레스 등급 클리어에 한하여 원하는 보상을 선택할 수 있습니다. 단, 이때 지급되는 보상은 노블레스 등급 이하의 보상으로 한정되며 노블레스 클리어 1회당 1번의 선택권만이 주어집니다. 한 번 보상으로 주어진 아이템은 그 어떤 방식으로도 반환이 불가합니다."

신희현의 미소가 짙어졌다. 대격변 이전에 할 수 있는 것은 다 하려고 했다. 과거로 돌아와서 계획을 열심히 세웠었다. 이제 그 계획들을 하나로 정리할 수 있게 됐다.

'무조건 노블레스 클리어다.'

입가가 계속해서 씰룩거렸다.

"그렇다면 이번 보상은 어떻게 되는 거지?"

"신희현 플레이어가 선택할 수 있습니다."

"그렇다면 나는."

눈앞에 아른거리는 게 있다. 지금 그에게 있어서 가장 필요한 스킬.

"스킬북도 가능한 건가?"

"가능합니다. 단, 스킬 등급이 노블레스 이하여야만 하며 스킬의 TO가 남아 있을 때에만 스킬 지급이 가능합니다."

특별한 스킬에는 TO가 있다. 황당하지만 '황금 똥을 싸는 스킬'의 TO는 1개였다. 그 말인즉, 단 한 명만이 '황금 똥을 싸는 스킬'을 익힐 수 있다는 소리다.

"올 타임 플러스. 가능해?"

"불가합니다. TO가 없습니다."

젠장. 벌써 이 스킬을 가진 놈이 나타난 건가. 아니, 나타날 때도 됐지. 그 녀석 역시 초창기 멤버였으니까.

혹시나 싶었는데 혹시나가 역시나였다.

"그러면 올 스킬 리듀스."

시간이 조금 흘렀다.

"가능합니다."

"그걸로 하겠어."

엘렌은 신희현을 물끄러미 쳐다보다가 이내 입을 열었다.

"노블레스 등급 클리어 보상으로 패시브 스킬, 올 스킬 리듀스를 지급합니다."

신희현은 책상에 앉았다. 아무리 생각해도 이건 대박이다.

올 스킬 리듀스.

세간에는 별로 알려져 있지 않던 스킬이다.

이 스킬의 TO가 몇 개나 되는지는 모르겠지만 누군가는 자신에게 TO를 빼앗겼을 거다. 하지만 그것에 크게 신경 쓰지는 않았다.

이제 9년하고 조금 더 남았다. 최후의 던전이 이 땅에 도래하는 날까지.

그때를 대비해야 했다.

'올 스킬 리듀스라.'

올 스킬 리듀스. 모든 클래스의 플레이어에게 큰 도움을 주는 스페셜 스킬이라 할 수 있다.

과거, 톱클래스의 마법사였던 김소라도 익히고 있던 스킬이다. 스킬북 드랍율이 극악하여 정말로 선택받은 극소수의 몇몇 플레이어만 익히고 있던 스킬.

스킬을 사용하면 체력이 빠진다. 지금은 느낌만 그렇고 대격변 이후에는 H/P와 M/P가 활성화될 거다. 그때가 되면 좀 더 구체적인 숫자로 나타나게 된다.

올 스킬 리듀스는 스킬 사용에 있어서 M/P 소모를 낮춰주는 역할을 한다. 모든 스킬에 적용되는 패시브 스킬이며 사용하면 사용할수록 스킬 레벨이 올라간다.

올 스킬 리듀스의 한계 레벨은 50인데 50이 되었을 때, M/P 소모 감소율은 90퍼센트에 이른다고 알려져 있었다.(신희현도 그게 사실인지는 모른다.) 다른 클래스에게도 마찬가지지만 신희현에게는 굉장히 유용한 스킬이라 할 수 있겠다.

'칸드는 물론이고…… 칸드와 두 명의 소환 영령을 동시에 부리는 것도 가능할 거야.'

지금 '올 스킬 리듀스'의 M/P 소모 감소율은 20퍼센트다.

'좋네.'

좋다. 이제는 대격변을 맞이할 준비에 박차를 가하면 된다.

준비해야 할 것이 두 가지 남았다.

'일단은…….'

지금 당장 해야 할 일이 있었다. 어찌 보면 시스템과는 관계없을지 모르지만, 그에게는 매우 중요한 일이었다.

북한산으로 향했다.

신희현은 토파즈 원석을 대장장이 마힌에게 팔아넘겼다.

마힌은 '오 이렇게 귀한 것을……!' 하고 눈물을 흘렸다. 전 재산을 탈탈 털어서라도 사고 말겠다며 애걸복걸했고 신희현은 50,000코인에 토파즈 원석을 팔아버렸다.

그리고 공략의 방에서 아놀드를 통해 그 50,000코인을 10억에 팔았다.

대상은 최용민.

신성그룹의 재벌 3세이자 고구려의 수장에게 말이다.

지금은 코인을 파는 사람이 별로 없다. 코인의 가치가 굉장히 높을 때다. 이후 시세가 안정화되기는 하지만 말이다. 지금 최용민에게는 10억보다 50,000코인이 더 중요했다.

토파즈 원석을 주워 온 라비트에게는 양평 치즈 만 원어치를 하사(?)해 줬다. 라비트는 남는 장사라며 흐뭇해했다.

신희현은 북한산으로 향했다.

북한산 주변은 대격변으로부터 비교적 안전한 곳이다. 이후 집값이 엄청나게 뛰는 곳이며 많은 고레벨 플레이어가 거주하게 되는 플레이어 타운이 생긴다. 북한산은 이후, 하나의 요충지가 되니까.

신희현이 이곳을 찾은 이유는 하나였다. 이곳의 주택을 하나 구입하기 위해서다.

음, 이 정도면 되겠지.

신희현은 고개를 끄덕였다.

북한산 주변, 교통은 제법 좋지만 한적한 축에 속하는 고급 저택 단지.

신희현은 시가 약 20억 원 정도 하는, 신희현 기준에서 저렴한 개인 주택 하나를 매입했다.

부모님의 꿈이었다. 은퇴하고 나면 산 좋고 물 좋고 공기 좋은 개인 주택에서 알콩달콩 사시는 것.

어머니와 아버지는 50이 넘는 연세에도 아직도 신혼 같았다. 신희현이 보기에도 두 분이 정말로 사랑하고 있다는 것이 느껴질 정도였다. 보기 좋았다.

그간 키워주신 분들이다. 다른 것도 아니고 겨우 집 한 채해드리는 게 뭐가 그렇게 어렵겠는가, 평생의 소원인데.

안전한 지역인 데다가 집값이 폭등까지 한다. 안 살 이유가 없다.

"마음에 드네요. 계약하죠."

부동산 중개업자는 침을 꿀꺽 삼켰다. 시가보다 오히려 비싸게 나온 것 같은데 별로 신경도 안 쓰고 그냥 산단다. 최용민이 10억에 별로 가치를 두지 않는 것처럼, 신희현도 20억에 별로 가치를 안 뒀다.

"계약금이 얼마죠?"

그러면서 가방에서 5만 원짜리 현금들을 꺼내는데, 중개업자가 대충 보기에도 저 허름한(?) 백팩 안에는 5만 원이 가득 차 있는 것 같았다.

'나이도 엄청 어려 보이는데……'

엄청난 금수저든지 아니면 일찍부터 대박이 난 사업가든지, 하여간 위대한 고객님인 건 맞았다.

신희현은 기분이 좋아졌다. 마음에 쏙 드는 매물이 있어서 바로 구입했다. 해봐야 20억밖에 안 하는 집이고 이 정도 출혈은 별로 무리가 되는 것도 아니었으니까. 현재 수중에 있는 현금이 대충 35억 정도 된다.

'아직 가난하네.'

가난하기는 하지만 괜찮다. 하급 마력석도 200개가량 모았다. 황금 골렘으로부터 채취한 황금도 아직 남았다.

'음.'

서프라이즈 결혼 기념 선물로 집 한 채는 좀 부족한 감이 있는 것 같다는 기분이 들었다. 명색이 빛의 건물주, 아니아니, 빛의 성웅인데.

벤츠 매장.

"아이고, 오셨습니까? 차 한잔 드릴까요?"

저번에 CLA45AMG를 계약했던 차장 한 명과 그 옆에 아리따운 아가씨 하나가 옆에 섰다. 나이는 신희현과 비슷해 보였다.

여자는 호감을 담은 미소를 짓고 방긋방긋 웃고 있었지만 신희현의 눈에는 전혀 들어오지 않았다.

그에게는 사랑하는 여자인 강민영이 있다. 주변에는 엘렌과 루시아도 있다. 워낙 예쁜 사람들 주변에 둘러싸여 있다 보니 어지간히 예쁘지 않으면 예쁘다고 느껴지지도 않는다.

"아뇨, 시간이 많지 않아서요."

"설명은⋯⋯."

"설명도 괜찮아요."

예전에 좀 타봤거든요. 어차피 내가 운전할 것도 아니고. 그리고 그냥 아버지 선물이라서요.

그 말은 참았다.

S600 마이바흐 모델.

실내를 살펴봤다. 고개를 끄덕이며 가볍게 감탄했다.

역시 인테리어의 최고봉은 벤츠지.

센터페시아 쪽, IWC 아날로그시계가 박혀 있는 게 보였다. 저건 정말 명품 IWC 시계다. 최고급차에 들어가는 시계.

아버지께서 부담스러워하실까 봐 이렇게 말하면서 차키를 건넸다.

"아버지께 좋은 시계 선물해 드리려고요."

"⋯⋯이, 이게 뭐냐⋯⋯?"

아버지는 할 말을 잃었다. 신희현이 민망한 듯 웃으면서 말했다.

"⋯⋯썩 괜찮은 시계 포장이죠?"

3장
보스 몹 레이드

세 달이 흘렀다.

세 달. 약 100일. 길다면 길고 짧다면 짧은 시간이다.

그사이 세상이 많이 변했다. 겉으로 크게 보이는 것은 없었으나, 분명히 많은 것이 변화하고 있었다.

그중에서도 가장 두드러지는 변화를 꼽아보자면 바로 '고구려'를 들 수 있겠다.

고구려는 급속 성장을 했다. 고구려를 실질적으로 이끄는 사람은 두 명. 최용민과 김상목이었다. 그중에서도 최용민이 1인자, 김상목이 2인자로 중요한 것들에 대한 계획 수립은 최용민이 짜고 그걸 실행에 옮기는 사람이 김상목이었다.

둘의 조합은 그야말로 거의 완벽에 가까웠다. 국회의원의 아들과 재벌가의 아들이다. 권력과 금력을 동시에 갖췄다. 두 명은 현실의 권력과 금력을 바탕으로 하여 현실에서도 고구려를 활성화시키기 시작했다.

고구려가 수면 위에 모습을 드러냈다. 그에 따라 기사들도 터져 나왔다.

-현 시대 최고의 미스터리. 시스템과 플레이어. 그들의 연합!
-플레이어 연합 고구려. 강남에 자리를 잡다.

본부를 만들었다. 그리고 얼마 지나지도 않아.

-고구려. 인천 지부 설립.
-고구려. 강원 지부 설립.
-고구려. 경남 지부 설립.

전국 각지에 지부를 만들었다. 움직임이 굉장히 빨랐다. 그것은 최용민의 집안, 그러니까 신성그룹의 전폭적인 지원이 있기 때문에 가능한 일이었다.

수면 위로 드러난 변화 외에도 다른 변화가 있었다. 각방의 퀘스트와 그에 관한 공략이 좀 더 자세하게 풀리고 여러

방면으로 발전했다.

일반 플레이어의 레벨, 일반 플레이어의 수준에 맞춘 공략집도 많이 생겨났다. 공식적인 숫자는 집계되지 않았으나 플레이어의 숫자도 빠르게 늘어났다.

신희현은 항상 기사를 확인했다.

'슬슬 나타날 때가 된 것 같은데.'

그러던 어느 날, 지방 신문에 사소하다면 사소한 뉴스 기사가 하나 나왔다. 거대한 덩치를 가진 토끼가 발견되었다는 거다.

일반인들은 딱히 큰 관심을 가지지 않았다. 그게 뭐 그렇게 중요할까. 일반 사람들은 지구상에 토끼가 있든 말든 딱히 신경 쓰지 않는다. 연예인 기사라면 모를까.

하지만 신희현은 달랐다.

"나타났네."

이제부터 슬슬 나타날 거다. 대격변은 아직 오지 않지만 그래도 몬스터들이 나타나게 될 거다. 조금씩, 야금야금 말이다. 본격적으로 움직일 때가 가까워 오고 있다는 소리다.

신희현이 말했다.

"대격변을 맞이할 마지막 안배는."

폭풍 레벨 업과 돈 모으기는 기본적으로 들어간다. 그건 무조건 해야 하는 일이고 그것 외에 다른 준비 사항이 하나 남았다.

강민영, 신강철, 신희아를 불렀다. 강철은 의외로 체력 회복에 탁월한 능력을 보여줬다. 과거에는 '치유 물약' 때문에 가려져 있었는데, H/P가 아닌 다른 능력 회복에는 큰 힘을 가지고 있었던 모양이다.

"오늘은 놈을 잡으러 갈 거야."

강민영이 눈을 반짝였다.

"드디어 잡는 거야?"

"그래."

세 달간 그들은 폭발적인 속도로 레벨 업을 했다. 모든 레벨을 통틀어 60~100레벨은 레벨 업 속도가 가장 빠른 구간이다.

현재 신희현의 레벨 95, 강민영의 레벨 90, 신희아의 레벨 77, 신강철의 레벨 75.

신희현이 말했다.

"출발하자."

대격변을 준비하는 마지막 단계. 놈을 잡는 거다. 그러면, 최후의 던전까지 가는 첫 단추를 잘 꿰었다고 할 수 있을 거다.

신강철이 호기롭게 외쳤다.

"출발!"

최용민은 아버지인 최용석과 저녁 식사를 함께하기로 했다. 넓은 식탁에 둘만 앉았다. 호화스럽고 넓은 식탁에 반찬도 굉장히 푸짐하게 올라와 있었다.

최용민이 말했다.

"이것은 풀개 불알입니다. 효과가 정확하게 입증된 것이 아님에도 불구하고……."

이게 벌써 입소문을 타고 400만 원에 거래되고 있다.

"그…… 오늘내일한다던 그 양반도 이걸 먹고 괜찮아졌다지?"

"네, 섭취한 지 일주일이 넘어가는데 부작용도 발견되지 않고 있습니다."

"정 안 되면 의사 몇 명 섭외하면 되는 거지."

의사든 박사든 몇 명 섭외해서 부작용이 없다고 발표하면 된다. 나중에 부작용이 밝혀진다면 그들은 그 책임을 지고 의사직을 내려놓게 될 거다. 대신, 큰돈을 갖고 살아갈 것이다. 양심을 판 대가로 돈을 많이 얻을 테니까.

"뭐, 그 양반이야 잃을 게 없으니. 듣자 하니 60살은 어린……."

최용민의 아버지인 최용석은 피식 웃었다. 그가 생각해도 너무했다. 거의 60살 가까이 어린 여자랑 침대에서 뒹구는 그림을 생각하니 썩 보기 좋은 그림은 아니었다.

"용민이 너는 분명 뭔가 해낼 수 있을 거다."

유통망도 이미 가지고 있다. 기존의 유통망에 '아이템'을 추가하면 되는 거다.

"분명히 이건 투자 가능성이 있어."

신성그룹에서 독점하면 분명히 큰 이득이 있을 거다. 신성그룹은 국내 최고의 기업이고 고구려는 최대의 연합이었으니까.

"그렇습니다. 풀개 불알뿐만 아니라 상당히 유용한 아이템들이 많이 드랍되고 있습니다. 이것은……."

"됐다. 나도 그게 뭔지는 알고 있어."

물약 상점에서 흔히 팔고 있는 '상처 치료 물약'이다. 외상에 특히 효과가 좋은데 현존하는 그 어떤 외상 치료약보다도 뛰어났다.

"지금은 지원자를 받아서 임상 실험을 진행 중입니다."

최용석은 인상을 살짝 찡그렸다.

"그런데, 아들."

"네?"

"여기는 회사 아니고 집인데 계속 그렇게 굴 거냐?"

"지금은 일 얘기 중이지 않습니까?"

그 말에 최용석은 조금 삐졌다. 이놈의 아들. 좋기는 다 좋은데 애교라곤 눈 씻고 찾아봐도 없다. 후계자로는 좋은데 아들로는 별로다. 그것도 아주 많이 별로다.

최용석이 물었다.

"그런데 고구려에 실질적인 수장이 따로 있다는 것 같은데?"

"……그건 아닙니다만…….."

최용민이 잠시 뜸을 들였다.

"고구려를 이끄는 최고 권력자는…… 빛의 성웅이라는 소문이 돌고 있습니다."

"그저 소문일 뿐이냐?"

"소문일 뿐입니다. 다만…… 그 소문을 진화하지는 않을 생각입니다."

"보이지 않는 가상의 리더를 한 명 더 놓겠다는 얘기군."

최용석이 고개를 끄덕였다. 괜찮은 방법이다.

"나쁜 일이 있을 때엔 너희가 책임을 피할 수 있을 테고."

"일이 좋게 흘러가도 이득은 전부 저희 것이 됩니다. 명예는 조금 빼앗기겠지만요."

"게다가 너희의 능력보다 더 뛰어난 다른 리더가 한 명 있다는 것은, 혹시 생길지 모를 다른 세력에 대한 견제도 충분히 되겠지."

지금은 견제할 세력 자체가 없다. 워낙에 독점 체제다. 고구려가 워낙 일찍 출범한 탓도 있고 신성그룹의 전폭적인 지원도 컸다.

최용민이 말했다.

"중간중간 보고 올리겠습니다."

그 말에 최용석이 더 삐졌다.

"아, 여기 집이라니까……."

그는 아직도 막내아들의 재롱이 보고 싶었다. 하다못해 '빛의 성웅 놀이 할래?'라고 묻고 싶었지만 그랬다가는 싸늘한 시선만 돌아올 것 같아서 참았다. 그냥 밥만 먹었다.

신희현, 신희아, 신강철, 그리고 강민영. 이 네 명이 시작의 방에 들어갔다. 파티를 이루고서 말이다.

헬퍼는 침을 꿀꺽 삼켰다.

'미, 미친?'

레벨을 보아하니 저 괴물 같은 플레이어가 95, 그리고 다른 플레이어도 전부 70이 넘었다.

'그, 그사이에 무, 무슨 일이 있었던 거지?'

어떻게 저렇게 폭발적인 레벨 업을 할 수 있었는지 궁금했다.

'레벨 업이 무슨 대충 숨만 쉬면 되는 것도 아니고……!'

역시 괴물은 괴물이었다. 예전에 자신이 함부로 대했던 저 꼬맹이 신강철 역시도 레벨이 75였다. 까불면 안 된다. 목소리가 작아졌다.

-오, 오셨습니까?

다행히 신희현은 꼬장(?)을 부리지 않았다. 바로 시작의 마을에 들어갔다. 신희현이 일행을 둘러보며 말했다.

"다들 알지?"

신강철이 고개를 끄덕였다.

"응, 형. 우리는 독 개구리를 가장 먼저 잡을 거야."

예전에는 엘렌의 도움이 필요했다. 놈들을 한꺼번에 끌어 모아야 했었으니까. 하지만 지금은 조금 다르다.

"루시아 소환."

루시아가 소환됐다.

"민영이 너도 보이는 대로 공격해."

루시아는 이제 명령을 따로 듣지 않아도 된다. 신희현과 교감을 통해 연결되어 있다.

탕!

소리와 함께.

[1콤보]

콤보가 시작됐다.

탕!

총성이 터지고.

[2콤보]

[3콤보]

[4콤보]

그리고 라비트가 소환됐다.

"내 정의의 검이 빛을 발할 때가 온 것이오!"

라고 외쳤지만 털을 바짝 세웠다.

"얼른 주워, 아이템."

"마, 말도 안 되오! 이, 이 몸은 대공이란 말이오!"

하지만 그의 체면과 대공으로서의 위신은 금방 무너졌다. 양평 치즈 하나를 입에 문 그는 그렇게 자랑스러워하던 '정의의 검'마저도 땅에 놓아둔 채 행복한 표정으로 달리고 또 달렸다. 아이템 수거를 위하여.

"지어에은 기처이 어는 거시오(직업에는 귀천이 없는 것이오)!"

양평 치즈를 입에 한가득 물고 있어서 발음이 제대로 되지 않았다. 신희현이 교감을 통해 내린 명령은 아이템들을 수거하는 거다. 재빠른 몸놀림은 아이템을 수거하기에 아주 제격이었다.

대공 라비트는 그렇게 아이템 수거꾼으로 전락하였지만 그는 그것에 행복감을 느꼈다. 입안에 양평 치즈가 있었으니까.

그렇게 독주머니를 얻었다. 그것을 가지고 물약 상점의 뚱뚱보 캘리에게 갔다. 언제나 그렇듯 거짓말로 아부했다.

"오늘도 여전히 눈이 부시게 아름답네."

라비트 대공이 귀를 쫑긋 세웠다. 진지해졌다.

"진심이오……?"

그러고선 고개를 저었다.

"주인에게 실망이오."

다행히도 그 소리가 굉장히 작아서 캘리는 그 말을 못 들었다. 신희현은 교감을 통해 느껴졌다. 라비트가 진심으로 자신에게 실망했다. 신희현은 라비트를 역소환했다.

"캘리, 마비 물약이 필요해."

독주머니를 건넸다.

"못 본 사이에 더 늠름해졌네? 호호호, 뭘 하려고 그러는 건데?"

"우르칸을 잡을 거야."

"우, 우르칸?"

캘리가 황당하다는 표정을 지었다.

"이건 끼해야 사람을 잠깐 마비시킬 정도의 물약밖에는 못 만들어! 우르칸을 절대! 절대! 절대! 무리야! 너무 무모한 생각이야!"

"걱정 마. 사람을 마비시킬 거니까."

신희아의 얼굴이 하얗게 질렸다.

"오빠, 진짜 부작용 없는 거지?"

신강철은 오히려 신났다.

"오예, 마비당한다! 마비 한 번도 안 당해봤어!"

우르칸을 마비시키려는 게 아니다. 15코인을 주고 마비 물약 30개를 구입했다. 재료를 구해서 줬기 때문에 가격이 쌌다. 그리고 시작의 방을 빠져나와 수련의 방으로 향했다.

신희현이 말했다.

"내가 말했던 것들 명심해."

다들 고개를 끄덕였다. 몬스터 존, 릴 랜드로 향했다. 불과 얼마 전까지만 해도 걸음초는 위협적이었다. 하지만 이젠 아니다. 최저 레벨인 신강철이 무려 75다.

[몬스터 존, 릴 랜드에 진입합니다.]

이상한 알림이 들려왔다.

[현 플레이어의 레벨에 비하여 지나치게 위험한 몬스터 존입
니다.]

최저 레벨인 신강철이 레벨 75. 예전에 신희현이 말하기로
우르칸의 레벨은 70 정도라고 했다. 그런데 위험한 몬스터
존이라는 알림이 들려왔다. 다들 놀라지는 않았다. 신희현이
미리 언질을 줬기 때문이다.
　신강철은 계속 신났다.
　"우르칸이란 놈은 도대체 얼마나 셀까?"
　'어서 마비해 줘, 마비당하고 싶어' 하고 마비에 대한 집착
을 드러냈다. 첫 경험이라나 뭐라나.
　신희현이 루시아를 소환했다. 루시아가 대답했다.
　"알겠습니다."
　루시아가 라이플을 로딩했다. 거대 라이플. 신희현의 레벨
이 높아짐에 따라 루시아 역시 사용할 수 있는 스킬들이 늘
었다.
　"모두 귀 막아."
　스킬을 사용했다.

[스킬, 공포탄을 사용합니다.]

공포탄이다. 실제 위력은 없지만 엄청나게 커다란 소리를 낸다. 게다가 시전자가 사정거리 내에서, 자신이 원하는 지점에서 터뜨릴 수 있다는 것이 장점이다.

전방 약 500미터 앞에서 공포탄을 터뜨렸다. 신희아가 몸을 부르르 떨었다.

"으으……."

500미터 떨어진 곳에서 터뜨렸고 거기에 귀까지 꽉 막고 있었음에도 불구하고 소리가 너무 컸다. 귀가 아팠다. 고막이 터질 것 같았다.

그렇게 몇 번을 시도했다.

쿠아아앙!

거대한 포효가 들려왔다. 그 소리에 신희아의 얼굴이 굳었다. 여태껏 신나 하던 신강철 역시 마찬가지였다. 그것은 천재인 강민영도 그랬다.

딱 한 명. 신희현만 여유로웠다.

저들이 겁에 질리는 건 당연했다.

'놈의 특수 스킬이지.'

두렵게 만든다. 그냥 두렵게 만드는 게 아니고 전의를 상실시켜 도망치게 만든다. 이게 놈의 특수 스킬 '포효'다. 거리가 가까워지면 가까워질수록 그 효과는 배가 된다.

우르칸의 공식적인 레벨은 높지 않다. 알려져 있는 레벨은 70. 그러나 그 숫자는 전혀 중요하지 않다. 일반 상태에서의 레벨이니까.

놈은 릴 랜드의 제왕이며 대격변 이전의 '방'에 존재하는 유일한 '보스 몬스터'다. 보스 몬스터 레이드에 들어가게 되면 보스 몹 보정을 받는 몬스터다.

신희현이 마비 물약을 꺼내 들었다.

"전부 하나씩 마셔."

세 명에게 마비 물약을 건네줬다. 다들 그걸 마셨다. 신강철이 몸을 바르르 떨었다.

"모, 몸이 이상해 형! 마비가 오고 있어."

당연히 이상할 거다. 감각이 사라진다. 내 몸이 내 몸이 아닌 것 같은 느낌. 그 느낌은 가히 좋지 않다. 굉장히 이질적이며 이상하다. 무섭기도 하고. 게다가 몸이 움직이지 않게 된다.

'나도 마셔야 하나?'

제왕 우르칸은 레벨 70짜리 보스 몬스터다. 그런데 보스 몬스터 레이드에 들어간다고 해서 무조건 보정을 받는 건 아니다. 교묘하게 그 보정을 못 받게 만들 수 있다.

쿠오오오!

놈의 포효가 더 가까워졌다. 아까까지는 신나 하던 신강철의 얼굴이 하얗게 질렸다.

"무, 무서워……!"

도망가고 싶었다. 지금 당장에라도.

그건 강민영도 마찬가지였다.

"오빠……."

여태까지는 항상 발군의 실력을 보여왔던 강민영이다. 그런데 그녀 역시 도망치고 싶었다.

'말은 들었지만…….'

분명히 들었다. 우르칸의 포효를 들으면 도망치고 싶을 거라고. 정말 무서울 거라고 말이다.

'그래서 오빠가 마비 물약을…….'

그랬다. 마비 물약이 없었다면 자신은 물론이거니와 희아와 강철이도 도망쳤을 거라고 확신했다. 지금 그녀도 도망치고 싶었다. 의지와는 상관없이. 그냥 너무나 도망치고 싶었을 거다.

와일드 보어가 달려올 때처럼 땅이 울리지는 않았다. 포효 소리를 제외하면 그 어떤 소리도 들리지 않았다. 다만, 숲 속을 스치는 바람마저도 스산하게 느껴질 뿐.

몬스터 존, 릴 랜드. 그 숲이 숨을 죽였다.

신희현은 봤다. 저만치 멀리, 노란 두 눈을 빛내며 뛰어오고 있는 몬스터를 말이다.

거대한 호랑이 형태. 크기는 약 7미터 정도.

신희현의 심장이 떨려왔다.

'도망치고 싶다.'

처음으로 그런 생각이 들었다. 그도 결국 마비 물약을 마셨다. 몸이 움직이지 않았다.

'와라……!'

엘렌은 눈을 감지 않았다. 신희현의 계획을 전부 듣기는 했지만 그래도 역시 긴장은 됐다.

'신희현 플레이어.'

그 배짱을 가진 신희현마저도 마비 물약에 의존했다. 그것도 레벨이 20이나 낮은 우르칸을 상대하면서 말이다.

주변이 붉게 물들었다.

[보스 몬스터 존이 생성됩니다.]

[보스 몬스터, 우르칸 레이드가 시작됩니다.]

우르칸이 점점 더 가까이 다가왔다. 눈앞에 보였다. 신희현도 침을 꿀꺽 삼켰다.

쿠와아앙-!

포효 소리가 다시 한 번 터져 나왔다. 귀가 얼얼해질 지경이었다.

'마비 물약이 없었다면.'

그랬다면 아마 도망쳤을지도 모르겠다. 이건 이성의 영역이 아니다. 본능적인 두려움이 느껴졌다. 이건 우르칸이 가진 특수 능력이다. 공포를 유발하여 움직이게 만드는 것.

신희현은 주위를 둘러봤다. 다행히 아무도 움직이지 않았다. 영체화 상태의 험머만 발을 동동 굴렀다.

"으아아아아! 무서워! 무서워! 무섭습니다요! 어떡합니까!"

주위를 빙글빙글 돌면서 마구 뛰어다니는데 다행히 영체화 상태라서 우르칸에게 발견되지는 않았다.

그리고 신희아의 제휴 파트너인 요정족 '벨'이 말했다.

"기절하겠사와요."

실제로 기절했다. 신희아의 어깨 위에 앉아 있던, 사람의 손바닥만 한 그녀는 땅으로 떨어져 내렸다. 마치 나비가 힘을 잃고 땅에 떨어지는 것 같았다.

신강철의 제휴 파트너인 '스워드'는 몸을 부르르 떨었다. 다른 사람의 눈에는 보이지 않았다. 왜냐하면 '스워드'는 특이한 형태의 파트너였으니까.

다만 신강철은 느꼈다.

'스워드가 바르르 떨었어.'

스워드는 '검'의 형태를 가진 파트너다. 흔히들 말하는 에고소드의 일종이며 신강철은 보통 검객이라도 된 것처럼 스워드를 등에 매고 다닌다.

'으. 미치겠네, 진짜.'

우르칸이 바로 눈앞, 코앞까지 왔다. 아랫도리가 뜨뜻해졌다. 저도 모르게 오줌을 쌌다.

'으아아아!'

비명도 나오지 않았다. 저 황금색 눈동자가 왜 저렇게 무서운지. 마비 물약이 너무 원망스러웠다.

신희현은 눈을 감았다. 그리고 속으로 숫자를 셌다.

'10.'

시간을 조금만 더 끌면 된다.

'9.'

조금만 더.

'8.'

슬슬 마비 물약을 효과도 풀릴 때가 됐다. 우르칸은 신희현 일행을 공격하지 않고 주위를 어슬렁거리기만 했다.

그러다가 신희현에게 가까이 다가갔다. 신희현의 냄새를 맡았다. 우르칸의 숨결이 느껴졌다. 야생동물 특유의 짐승 냄새가 났다.

크르릉— 크르릉—

숨소리도 들렸다.

그런데 마비 물약의 효과가 풀렸다. 생각보다 너무 빨랐다.

'젠장.'

아무래도 '불굴의 의지'가 저항한 것 같았다. 덕분에 다른 플레이어들보다 훨씬 빠르게 마비가 풀렸다. 생각을 못했던 건 아니었다. 감안을 해서 생각했는데, 생각보다 불굴의 의지가 긍정적인 역할(?)을 너무 잘 수행했다.

'나는 괜찮다.'

움직이면 안 된다. 엘렌은 신희현의 상태를 대충이나마 눈치챘다.

'마비가 풀렸다……!'

신희현이 말했다. 우르칸은 보스 몬스터이고 보스 몬스터 레이드가 시작되는 그 순간부터 약 1분 정도.

그때 움직이는 물체를 적으로 인식하여 진화한다고. 레이드 상태 이전의 레벨은 70이지만, 레이드 존 내에서 움직이는 물체를 발견하면 보스 몬스터 보정을 받아 거의 두 배에 가까운 힘을 낸다고 했다. 처음 1분 동안은 움직이지 말아야 한다고 했다.

'5초 남았다.'

신희현이 입술을 아주 살짝 깨무는 것이 보였다. 신희현의 등 뒤로 식은땀이 흘러내렸다. 여기서 자신이 움직이면 끝이다.

'포효만 안 내지르면 되는데.'

그럭저럭 견딜 만했다. 눈앞에서 커다란 호랑이가 왔다 갔다 하는 것뿐이다. 냄새를 맡고 있을 뿐이다. 괜찮다. 포효만 사용하지 않으면 버틸 만했다.

'젠장……!'

그때 다시 한 번 우르칸이 포효를 내질렀다.

쿠와아아아앙—!

그와 동시에 엘렌이 신희현을 쳐다봤다. 엘렌도 포효의 효과를 알고 있다.

그런데.

'움직이지…… 않는다.'

놀라웠다. 영체 상태인 자신마저도 본능적으로 도망치고 싶다는 욕구가 끓어오르고 있는데. 신희현은 움직이지 않고 있다. 아니, 오히려 편안해 보였다.

그때 알림이 들려왔다.

['불굴의 의지'가 '우르칸의 포효'에 저항합니다.]

[저항에 성공했습니다.]

[공포를 극복합니다.]

신희현이 씨익 웃었다.

'1분…… 지났다, 쪼렙아.'

신희현이 말했다.

"희아는 개별 실드 전개해."

신희아가 그녀만의 특수 스킬 '솔로잉 실드'를 펼쳤다. 그녀가 한 번에 펼칠 수 있는 '솔로잉 실드'의 숫자는 4개. 파티원의 숫자와 딱 맞아떨어졌다.

"루시아 소환."

루시아를 재소환했다. 루시아가 히죽 웃었다.

"죽입니까?"

그와 동시에.

"내 저 고양이 놈을 반드시 썰어버리고 말겠소."

라는 분노의 가득 찬 목소리도 들려왔다.

라비트였다. 라비트의 수염이 바짝 섰다. 수염이 바들바들 떨렸다. 아무래도 고양잇과 생물에 대하여 큰 적개심을 가지고 있는 것 같았다.

신희현이 피식 웃었다.

"가볍게 놀아줘."

라비트가 빠르게 움직였다. 보스 몬스터 보정이 끝난 우르칸은 겨우 레벨 70짜리 몬스터에 불과하다. 처음의 1분만 잘 버티고 나면 그 이후로는 난이도가 급격하게 떨어지는 보스 몬스터.

크아앙!

우르칸은 라비트를 잡기 위해 몸을 던졌다.

"감히 어디 이 대공을 노리는 것이냐!"

라비트가 몸을 잽싸게 피해 레이피어를 내질렀다. 그것은 우르칸의 목덜미를 정확하게 찔렀다.

그와 동시에.

투다다다닷-!

기관총 소리가 터져 나왔다.

어느새 자리를 잡은 루시아가 기관소총을 로딩하여 무차별 사격을 가했다.

"이, 이 천둥여자야! 이, 이곳에 내가 있소!"

라비트가 몸을 이리저리 뒤틀고 꼬고 땅을 뒹굴었다.

그러든지 말든지 루시아는 사격을 가했다.

라비트의 수염이 바르르 떨렸다.

"저, 정신머리 없는 천둥여자 같으니라고!"

말은 그렇게 해도 라비트는 안다. 저 천둥여자는 자신을 쏘지 않을 거다. 엄청난 사격술을 가진 여자니까. 그래도 무서운 건 어쩔 수 없지만.

"나는 무섭지 않소!"

높이 점프했다. 그 작은 몸으로 5미터를 넘게 뛰었다. 햇빛에 라비트의 몸이 가려졌다.

그때, 캐스팅을 끝낸 강민영이 외쳤다.

"멀티 파이어 애로우."

강민영의 등 뒤로 수십 발의 불화살이 만들어졌다. 불화살들이 하늘로 치솟아 올랐다.

라비트 대공이 하늘에서 몸을 뒤틀었다.

"어, 어, 자, 잠깐! 이, 이것은 좀 아니지 않소!"

라비트는 루시아는 믿었다. 하지만 강민영은 아직 못 믿었다. 천부적인 재능은 인정하지만 그래도 아직 경험이 너무 없지 않은가. 저 불화살, 데이면 이 고운 털이 다칠 것 같다.

불화살이 떨어져 내렸다. 마치 불화살로 이루어진 비가 내리는 것 같았다. 라비트는 엄살을 부리는 와중에도 교묘하게 틈을 파고들어 우르칸의 머리 위에 앉았다. 그리고 우르칸의 머리에 레이피어를 깊게 꽂아 넣었다.

루시아가 무기를 재로딩했다.

"명을 이행합니다."

그사이에도 계속.

[4콤보]

[5콤보]

[6콤보]

교감을 통해 이어진 루시아와 라비트가 콤보를 일궈냈다. 콤보를 성공시키는 건 신희현뿐만이 아니었다.

[3콤보]

[4콤보]

강민영 역시 그녀 나름대로의 방식으로 공격 타이밍을 맞추어 콤보를 일궈냈다. 엘렌은 엘렌 나름대로, 험머는 험머 나름대로 자신의 파트너가 괴물 같음에 혀를 내두를 수밖에 없었다.

신희현이야 그렇다 치더라도 강민영은 도대체 뭐란 말인가.

"누, 누님은 인간이 아닌 것 같습니다요."

그도 그럴 것이, 지금 강민영은 저 수십 발의 불화살 중 일부를 컨트롤하여 콤보 타이밍을 맞추고 있는 거다.

일반적인 마법사들은 절대 못한다. 일반 마법사들은 그냥 마법을 쏘아내고 나면 끝이다.

그런데 아직 레벨이 100도 안 되는 초짜(?) 마법사가 자신이 시전한 마법의 일부를 자기 의지대로 조절한 데다가 콤보 타이밍까지 맞추고 있는 거다.

두 명의 소환 영령을 한꺼번에 컨트롤하여 콤보를 해내는 신희현이야 말할 것도 없고.

크아아아앙!

우르칸은 괴로운 듯, 또 화가 난 듯 앞발을 마구 휘둘러 댔다.

라비트는 여유로웠다. 저 덩치만 큰 고양이 놈의 앞발 정도야 얼마든지 피할 수 있다.

그때.

"실드! 실드! 실드!"

신희아의 서포트가 들어왔다. 그래서 라비트는 비명을 질렀다.

"고, 공격 진로가 바, 바뀌었소!"

라비트는 차렷 자세로 섰다. 꼬리를 바짝 세워 올렸다.

와, 이거 진짜. 망할 뻔했다.

바로 옆에 쿵! 하고 우르칸의 앞발이 떨어져 내렸다. 털이 쓸리는 느낌이 났다.

"서, 서포트 하려는 의도는 고맙소만, 아직은 때가 아닌 것 같소!"

신희아가 실드를 통해 우르칸의 앞발을 살짝 막았고, 때문에 우르칸의 앞발이 미세하게 살짝 틀어졌다. 라비트는 최소의 움직임으로 상대의 공격을 피하는 스타일이다. 잘못하면 맞을 뻔했다.

신희현이 말했다.

"의도는 좋았어. 괜찮아."

처음부터 모든 상황을 읽고 잘하는 플레이어가 어디 있겠는가. 기를 죽일 필요는 없었다. 겨우 레벨 70짜리를 상대하면서 연계를 연습하는 것도 나쁘지 않다. 라비트야 위협을 조금 느끼겠지만.

라비트가 다시 한 번 레이피어를 내질렀다.

"일격필살!"

푸욱!

레이피어가 우르칸의 턱을 관통했다. 라비트는 우르칸의 턱에 난 수염을 한 팔로 붙잡고 다른 한 팔로.

"일격필살! 일격필살! 일격필살!"

을 외치면서 오른팔로 레이피어를 사정없이 쑤셔 넣었다.

그사이 무기를 라이플로 재로딩한 루시아가 우르칸의 머리를 정조준 했다.

[스킬, 크리티컬 샷을 사용합니다.]

탕!

거대한 소리와 함께.

우르칸이 쓰러졌다. 붉게 물들었던 존이 다시 원래대로 돌아왔다.

[축하합니다!]

[보스 몬스터, 우르칸 레이드에 성공했습니다.]

[보스 몬스터, 우르칸 최초 레이드 성공. 최초 레이드 보상 '제왕의 발톱'이 모든 플레이어에게 주어집니다.]

최초 보상은 일반 보상과는 별개다. 신희현이 씨익 웃었다.

'좋았어.'

제왕의 발톱을 얻었다. 사실 이걸 얻기 위해 우르칸을 레이드한 거다.

알림이 계속 이어졌다.

[레이드 클리어 등급을 산정합니다.]

신희현은 자신 있었다.

'이 공략은 원래 몇 년 후에나 풀려.'

이 공략 없이, 그리고 현대 무기의 도움 없이 우르칸을 사냥하려면 적어도 레벨 140 파티는 되어야 한다.

'보나마나.'

엘렌도 생각했다.

'노블레스일 거다.'

알림음이 들려왔다.

[노블레스 등급 클리어로 인정됩니다.]

[퀘스트 클리어 보상이 주어집니다.]

대격변을 맞이하기 위한 준비가 일사천리로 진행되는 느낌이 들었다.

처음 과거로 돌아왔을 때에는 긴가민가했다. 정말로 노블레스 등급 클리어를 계속할 수 있을지 폭풍 레벨 업을 할 수 있을지.

그런데 이제는 노블레스 등급이 아니면 좀 서운할 지경에 이르렀다.

험머는 신이 났다.

"노블레스 등급입니다! 노블레스 등급 클리어!"

신희아의 파트너 벨은 도도한 표정을 지었다.

"사실 저는 기절하지 않았사와요. 늠름한 여러분을 전부 응원했답니다."

벨은 주위를 날아다니면서 호호홋 하고 웃었는데 그 작은 날개에서 빛나는 가루가 떨어져 내렸다.

라비트가 레이피어를 버리고 벨을 양손으로 잡았다.

벨은 도도함을 잃었다.

"뭐, 뭐 하는 거야, 이 생쥐 녀석!"

"귀엽소! 아주 귀엽소! 내 장난감 삼고 싶소!"

라비트는 클리어 보상에는 별로 관심이 없어 보였다. 그의 관심사는 오로지 양평 치즈와 벨, 두 가지인 듯했다.

하지만 라비트는 이내 벨을 놓고 도망쳤다. 신희아가 흐흐 웃으면서 다가왔기 때문이다. 신희아는 라비트를 매우 귀여워했다.

신희아는 투덜거렸다.

"쩝, 안고 싶었는데."

다들 그러고 있을 때에 직업 정신(?)이 투철한 강민영이 보상 내역을 확인했다.

"오빠."

아이템을 하나 받았다. 그런데 신희현이 미리 언질을 주지 않았던 아이템이었다.

강민영이 물었다.

"이건 뭐야?"

자신의 보상을 확인하던 신희현이 일단 강민영에게 아이

템을 하나 받아 들었다. 눈이 커졌다.

'이건······!'

익숙한 아이템이 보였다.

"포인터······?"

다들 신희현의 반응에 고개를 갸웃했다. 신희현이 저렇게 놀라는 건 그렇게 흔치 않은 일이지 않은가.

신희아가 물었다.

"오빠, 그게 뭔데 그렇게 놀라?"

4장
Wild bear

릴 랜드의 보스 몬스터 우르칸을 잡은 보상으로 '제왕의 발톱'이 플레이어의 숫자만큼 주어졌다. 신희현은 이것 때문에 일부러 전부 데려와서 클리어를 진행한 거다.

제왕의 발톱은 플레이어를 지켜주는 일종의 수호 부적 같은 것이라 할 수 있었다. 특히나 동물 형태를 하고 있는 몬스터에게 효과가 좋았다.

플레이어의 레벨보다 낮은 몬스터가 플레이어에게 덤비길 주저하게 하는 효과가 있다. 아니, 접근 자체를 꺼리게 된다.

물론 무조건 공격을 못 하게 되는 건 아니다. 어떠한 외력이 작용한다든지, 몬스터가 극도로 흥분한다든지 그러한 상황에서는 플레이어를 공격할 수도 있다.

어쨌거나 효과 자체는 굉장히 뛰어난 축에 속했다. 최초 클리어 시에만 주어지는 보상이며 대격변 시대에 매우 유용하게 사용될 거다.

신희현이 말했다.

"생각해 봐. 사자 한 마리랑 싸우는 게 편하겠어, 아니면 사자 한 마리에 하이에나 100마리 무리가 합쳐져 있는 거랑 싸우는 게 편하겠어?"

신강철이 매우 뿌듯해하며 대답했다.

"사자 한 마리!"

"그렇지."

몬스터들의 틈바구니 속에서 귀찮은 짐(상대적으로 약한 몬스터)들이 떨어져 나가는 셈이다. 신경 분산을 막아주며 그것은 곧 크리티컬 샷의 확률을 높여주고 콤보의 확률도 높여준다.

신희아가 물었다.

"그래서 오빠, 포인터가 뭔데 그렇게 놀라냐니까?"

신희현은 잠시 눈을 감았다. 포인터. 그에게는 굉장히 익숙한 아이템이다. 왜냐하면 그는 이 포인터로 각성을 했기 때문이다.

현실의 물건으로만 각성을 하는 게 아니다. 아이템으로도 각성이 가능하다.

당시 포인터는 그다지 인기 있는 아이템은 아니었다. 길잡이란 클래스 자체가 각광받지 못하는 클래스였다. 파티의 최선두에서 파티원들을 이끌어야만 한다. 가장 많은 위험을 부담하는 클래스인데 보상도 그리 크지 않다.

상대적으로 위험하지 않고 희소성도 있는 힐러나 버퍼가 가장 인기 클래스였고, 그다음이 전투 클래스, 그다음이 잡다한 클래스, 그다음이 길잡이라고 보면 됐다.

'내겐 엄청 익숙한 아이템이기도 하지.'

각성한 후에도 많이 사용하게 되는 아이템이다. 신희현의 시작과 끝이라고 해도 과언이 아닌 아이템.

'포인터가 이렇게 내 손에 들어올 줄이야.'

원래 신희현은 1년 뒤에나 각성하게 된다. 포인터는 1년 뒤에나 풀리는 아이템이라는 소리다.

TIP 알림에 의하면 클래스 각성이 가능하다고 했다.

"오빠, 오빠. 뭐냐니깐?"

"별거 아냐."

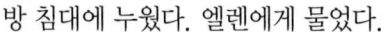

방 침대에 누웠다. 엘렌에게 물었다.

"엘렌."

"네, 말씀하십시오."

"듀얼 클래스가…… 가능할까?"

엘렌이 잠시 뜸을 들였다.

"현재 신희현 플레이어의 능력을 초과하는 선택이라 생각합니다."

듀얼 클래스가 무조건 좋은 건 아니다. 체력 소모가 그만큼 빨라지며 신경이 분산되어 스스로를 컨트롤하기가 어려워진다. 차라리 한 클래스에 집중하는 것이 훨씬 좋다.

엘렌이 말을 이었다.

"무엇보다 듀얼 클래스를 선택하면……."

"레벨 업이 느려지지."

"……맞습니다."

레벨 업이 느려진다는 건 치명적이다. 레벨 절대 룰이 존재하는 이 세상에서는 말이다.

'하지만…….'

하지만 길잡이 클래스를 같이 운용하면 또 그만큼의 이득이 있다. 지금이야 하급 던전이고 쉬운 방밖에는 없지만 이후에는 점점 더 난이도가 높아질 거다. 그때가 되면 길잡이는 필수다. 더 정확하게 말하자면 약 4년 후부터는 길잡이가 반드시 필요하다. 그때 길잡이로 각성해서 키우기도 늦을 뿐더러.

'문제는…….'

이 포인터에는 '각성 유효 기간'이라는 게 있다. 아이템으로써의 가치는 유지되지만, 각성을 시켜주는 것에는 시간제한이 있다는 소리다. 그게 겨우 3일뿐이었다.

신희현은 생각에 빠졌다.

'칭호 효과를 업그레이드하고 콤보를 활용하고 노블레스 등급 클리어를 잘만 이용한다면…….'

그는 지금의 소환사보다 길잡이 클래스에 훨씬 더 유용하다. 게다가 과거 각성을 했던 아이템과 동일한 아이템이다. 그 클래스는 누구보다도 훤히 잘 꿰고 있다.

"듀얼 클래스 선택 조건은?"

"100,000코인이 필요합니다."

신희현은 저도 모르게 눈을 크게 떴다. 10만 코인. 결코 적지 않은 양이다. 고민에 빠져들었다.

신희현은 책상에 앉았다.

"음."

볼펜을 빙글빙글 돌렸다. 시간이 조금 흘렀다.

"내 레벨이 97."

원래대로라면 절대 불가능한 레벨이다. 지금 최고수라는

플레이어들이 이제 겨우 60 정도 된다. Wild B 공략이 제대로 풀리고 나면 플레이어들은 엄청난 속도로 레벨을 올리게 되겠지만 어쨌거나 최고수들이 60이라는 소리다.

'정말 고수들의 실력 차이는…….'

정말 최고수라는 플레이어들끼리는 실력 차이가 거의 안 났다. 난다고 해도 정말 종이 한 장 차이였다. 비슷한 클래스의 비슷한 실력의 최고수끼리 PVP를 하면 아주 작은 변수 때문에 승패가 갈리곤 했다.

'그걸 생각하면 듀얼 클래스가 답이야.'

지금 당장은 레벨 업 속도가 느려지고 힘들 수 있다. 하지만 이후, 아주 오랜 시간이 지나고 나면 훨씬 큰 이득이 되어 돌아올 거다.

'게다가 레벨 업 속도를 보면.'

과거를 떠올렸다. 과거에는 이러한 사기적인 레벨 업이 없었다. 이런 레벨 업 없이도 최후의 던전까지 갔다.

엘렌이 물었다.

"무슨 생각을 그렇게 하십니까?"

"생각해 보면 내가 듀얼 클래스를 선택하더라도……."

"신희현 플레이어……."

엘렌은 입을 다물었다. 사실상 듀얼 클래스는 그다지 추천할 만한 것은 아니다. 일반적인 플레이어에게라면 말이다.

하지만 신희현이라면 어련히 알아서 잘할 것 같다는 생각이 들었다.

신희현은 씨익 웃었다.

'그래도 예전보다는 레벨 업이 훨씬 빠를 거야.'

레벨 절대 룰이 있다고 해서 레벨만이 '장땡'이라고 할 수는 없다. 결정적으로 그에게는 룰 브레이커가 있으며 각종 보정과 지식을 통해 통상적인 속도보다 훨씬 빠른 속도로 레벨 업을 할 수 있다.

'오케이.'

마음은 정했다. 까짓것 도전하기로 했다. 그런데 문제가 남아 있었다. 갑자기 10만 코인을 어디서 어떻게 구하느냐였다.

엘렌이 그 문제를 짚었다.

"신희현 플레이어, 지금 당장 코인을 구할 방도가 있으신 겁니까?"

신희현이 어깨를 으쓱했다.

"나는 빛의 성웅이잖아."

"……네?"

"그런 게 있어."

엘렌은 날개에서 한기를 느꼈다. 날개가 바르르 떨렸다. 결코 빛의 성웅 같지 않은 남자가 빛의 성웅이라며 씨익 웃는 게 보였다.

뭔가, 사기꾼의 냄새가 나는 것 같은 기분이 들었다.

신희현이 수련 사제를 찾았다. 언제나 그렇듯 비슷한 광경
이 펼쳐졌다.

"오오, 높으신 분이시여."

"수련의 사제여."

엘렌의 날개 끝이 조금씩 구부러지기 시작했다. 신희현의
연기 실력은 아무리 시간이 지나도 도저히 늘어나지 않는 성
질의 것인 듯했다. 어떻게 저렇게 연기를 못할 수가 있단 말
인가.

"내 그대에게 긴히 요청할 것이 있다."

신희현의 왼쪽 뒤에는 엘렌이, 오른쪽 뒤에는 루시아가 섰
다. 수련 사제는 그 둘을 힐끗힐끗 쳐다봤다. 둘 모두 기품이
넘쳤다. 각기 다른 매력의 여자들로 신의 사자가 거느리는
여자다웠다. 여자들이 있음으로 인하여 신의 사자(신희현)의
위상이 더욱 높아졌다.

"말씀만 하시옵소서."

"내 이 세상에 빛을 뿌리기 위하여 미천한 몸으로 이곳에

왔도다. 하지만 세상이 녹록치만은 않구나."

신희현은 대본을 짰다. 이 대사들, 전부 외운 대사다. 외워서 말하는 것이다 보니 중간에 버벅대기까지 했다. 그럴 때마다 엘렌의 날개가 점점 더 꼬부라졌다.

"말씀만 하시옵소서. 제 미력한 힘이나마 보태겠습니다."

"말을 돌리지 않겠다. 지금 내게는 10만 코인이 필요하노라."

"……."

수련 사제는 말을 잇지 못했다.

어라, 뭐지. 뭔가, 왜 신의 사자가 아닌 것 같은 기분이 들지.

신의 사자께서 어찌 물질을 원한단 말인가.

"그, 그것이……."

신희현은 인상을 살짝 찡그렸다. 아무래도 쉽게 넘어가는 않을 것 같았다.

'라이나, 제발 한 번만 도와줘.'

라이나의 힘을 한 번만 끌어낼 수 있다면 아주 큰 도움이 될 거다. 하지만 반응이 없었다.

'그러면…….'

칸드라도 소환하는 게 나을 것 같았다. 칸드는 바람의 정령왕. 어느 정도 공중을 해줄 수 있을 위치의 소환수였으니까. 그러려고 했는데.

루시아가 말했다.

"빛의 사자시여."

엘렌의 날개가 완전히 꼬부라졌다. 바깥이 안쪽을 향했다. 오징어를 불에 구운 것 같았다.

'루시아마저.'

그나마 루시아는 자연스럽기는 했다. 그래도 빛의 사자시여라니 이 무슨 상황이란 말인가.

"라비트 대공을 소환하심이 좋을 듯합니다."

굳이 끝에 한마디를 덧붙였다. '오빠'라고 말이다.

"……응?"

갑자기 라비트는 왜.

교감을 통해 루시아의 생각을 읽을 수 있었다.

아참, 난 빛의 사자지. 위엄 있는 얼굴과 표정을 잊으면 안 돼.

라비트를 소환했다. 라비트가 대뜸 대답했다.

"그 무슨 어려운 부탁이겠소?"

주머니를 뒤적거리다가 보석 비슷한 것을 하나 꺼냈다.

"자, 이것을 담보로 하여 100만 코인을 빌려주시면 될 것 같소."

신희현이 눈을 크게 떴다. 라비트가 아무것도 아닌 것처럼 내민 저것은.

'미, 미친.'

저번에 마힌이 눈물을 흘리며 고맙다고 했던 아이템이 있다. 전 재산을 탈탈 털었었다. 그게 바로 '토파즈' 원석이었다. 그런데 라비트가 내민 이것은 '레드 크리스털'이라는 것으로 굉장히 희귀한 보석이었다.

지금 오픈되어 있는 방 말고 이후에 등장하게 되는 상위급 방에서 NPC들이 매우 사고 싶어 하는 아이템으로 엄지손톱만 한 크기의 원석이 약 300만 코인 정도였다.

'저건 원석도 아닌 것 같은데.'

원석이 아니라 세밀한 세공 과정을 거친 것 같다.

'뭐지.'

라비트 대공이 황당하다는 듯 신희현을 쳐다봤다.

'뭘 겨우 이런 걸로 놀라오? 주인답지 않소. 주인이야말로 놀라움 그 자체인데 말이오.'

라비트의 생각이 교감을 통해 신희현에게 흘러 들어왔다.

그리고 신희현은 안다. 지금 라비트의 생각은 진심이다. 허세가 아니다. 저게 진짜라서 더 무섭다.

라비트가 말했다.

"주인이 급한 일이 있다니 그대는 내 주인을 돕는 것이 좋겠소. 여차하면 그것을 팔아서 신전의 사비로 써도 좋소."

수련사제는 입을 쩍 벌렸다. 시가 약 300만 코인 하는 것을 그냥 가져도 좋다니.

'여, 역시……!'

수련 사제는 오해했다.

'빛의 사자께서 스스로를 겸허히 낮추시고 우리에게 이런 은덕을 베풀어주시는 것이었구나.'

어쩐지 태도라든가 말하는 것이 조금 이상하다고 느끼던 차였다. 뭔가 조금 수상하리만치 이상했는데.

'우리를 티 나지 않게 챙겨주시려고 몸을 굽히신 것이었는데…… 그걸 연기한 것이었는데 아둔한 내가 잠시 의심을 하고 말았구나……!'

그는 탄식했다. 엎드려서 눈물을 줄줄 흘렸다. 감동받았다. 어쨌든 그것을 담보로 100만 코인을 받았다. 생각지도 않았던 코인에 신희현은 라비트와 잠시 대화를 나누기로 했다.

"라비트."

"왜 그러시오?"

"너 부자였어?"

라비트는 검 끝으로 자신의 털을 만지작거렸다.

"나의 나라는 몰락하였소. 그러나 나의 가문은 멸망하지 않았소. 나의 부친이 세계 1위의 상단을 운영하고 있는 중이오. 라파텔 제국의 가호를 받고 있는 우리의 상단은 그 누구도 감히 건드리지 못하오."

라파텔이니 뭐니 그런 건 알 수 없었다.

라비트가 중얼거렸다.

"코인이 급했으면 내게 말씀하시지 그랬소. 내 비록 용돈을 받는 비루한 입장이지만……."

"용돈이 얼만데?"

"한 달에 3,000,000코인 정도 되오."

용돈이 300만 코인이란다. 이건, 스케일이 다르다.

신희현이 말했다.

"양평 치즈랑 코인이랑 바꿀래?"

"그, 그것이 진심이오?"

"너는 내 충실한 소환 영령이니까 특별히 많이 쳐줄게."

엘렌은 눈을 감고 말았다. 소환 영령에게까지 사기를 치다니. 엄청나게 남는 장사다. 참고로 최근에 신희현은 최용민과 거래를 한 적이 있다. 5만 코인을 10억에 팔았었다. 지금, 코인 값이 최고점이다.

라비트의 눈이 반짝반짝 빛났다.

"고, 고맙소! 상인의 자제라면 응당 거래를 두려워하지 말아야 하는 법!"

라비트도 웃고 신희현도 웃었다.

알림음이 들려왔다.

[듀얼 클래스: '길잡이'와 '소환사'를 확인합니다.]
[최초의 듀얼 클래스 획득으로 인정됩니다.]
[최초의 듀얼 클래스 획득 보상으로 30,000코인이 주어집니다.]
[30,000코인을 획득하였습니다.]

신희현은 3만 코인에 그다지 감흥이 없었다. 10만 코인을 투자해서 3만 코인을 얻었다. 어차피 손해다. 그런데 그 손해라는 게 별로 손해처럼 느껴지지가 않았다.

라비트가 말했다.

"내가 드디어······."

눈에는 눈물이 그렁그렁 맺혔다.

"아버지의 인정을 받아냈소."

"······응?"

"나는 상인의 가문에서 태어나 검술만을 익히고 또 익혔소. 나의 길은 오로지 검의 길이었을 뿐이오."

얘기를 들어보니 라비트는 나름대로 기구한(?) 삶을 살았다. 나라에 대한 사랑, 그러니까 애국심이 불타는 대공인데 검 말고는 아무것도 관심이 없었다고 한다. 그래서 가문 내에서 이단아 취급을 받았다고 한다.

"이 사랑스러운 양평 치즈는……!"

치즈를 한 입 깨물었다. 그리고 행복한 표정을 지었다.

실제로 그는 행복했다. 어떻게 이런 천상의 맛이 존재할 수 있단 말인가.

"나의 아버지께서도 인정하셨으며…….."

또한.

"라파텔 제국의 황제마저도 양평 치즈의 맛에 감화 감동하여…….."

스케일이 점점 더 커졌다.

"우리의 상단에 독점 운영권을 하사하셨고…….."

저쪽 세계의 사람들에게 이 양평 치즈란 가히 보물과도 같은 듯했다. 그쪽에는 치즈라는 게 없는 모양이었다.

"전 세계의 사람이 이 행복함에 겨워 눈물을 흘리고 춤을 추게 될 날이 멀지 않았소. 아버지께서 나의 뛰어난 안목을 드디어 인정하셨소!"

"어…… 그래?"

겨우 치즈, 그것도 중소기업의 치즈치고는 지나치게 스케일이 크기는 했지만 하여튼 신희현은 고개를 끄덕였다. 이 소환수가 호갱, 아니, 건실한 사업 파트너가 되어줄 것 같았다.

"아버지께서는 말씀하셨소. 물량이 얼마가 됐든지 우리 상단은 그 물량을 소화할 자신이 있다고 말이오."

"그래?"

"라파텔 제국의 14억 인구가 양평 치즈의 맛에 빠져들게
될 것이며."

신희현은 찔끔 놀랐다.

저런 덩치 큰 생쥐가 14억?

따지고 보면 중국 정도 되는 인구인데 라비트가 14억 명(?)
모여 있다 생각하니 좀 신기했다.

"라파텔 제국을 시작으로 하여 모든 왕국이 이 치즈의 맛
에 열광하게 될 것이오."

"인구가 몇 정도 되는데?"

"공식적인 기록상에는 120억 정도 되오. 비공식적인 숫자
까지 포함한다면 족히 200억은 넘을 것이오. 우리의 여자는
아이를 한 번에 3명씩 낳소."

"……."

신희현은 할 말을 잃었다. 그러니까 지금, 200억 인구를
상대로 사기, 아니, 거래를 하게 된 셈 아닌가.

'이래서였나.'

과거 양평 치즈가 그렇고 그런 중소기업에서 엄청난 대기
업으로 성장했던 이유가.

어쩌면 코인을 바탕으로 한 막강한 자금력이 있었기 때문
이 아닐까. 아직은 코인의 시세도 정해져 있지 않고 거래량

도 많지 않지만 곧 코인은 현금처럼 취급되게 된다.

그 비율은 약 20:1 정도. 그러니까 20코인을 1원에 살 수 있다는 소리다. 불과 얼마 전 5만 코인을 10억에 팔아넘긴 것 역시 엄청나게 남는 장사라고 할 수 있었다.

엘렌은 눈을 감았다.

'신희현 플레이어는…….'

신희현이 말하는 중이었다.

"네게도 커다란 이득이 되고, 내게도 커다란 이득이 되지. 원래 거래란 서로가 윈-윈 하는 것이 좋은 거니까."

엘렌은 확신했다.

'상인을 했으면 대성하셨을 것 같다.'

어디 가서 '나는 빛의 성웅과 함께하는 파트너입니다'라고 말하기 창피할 것 같았다.

하여튼 신희현은 라비트와 계약을 맺었다. 계약서 조항이 제법 많았는데 가장 큰 줄기를 살펴보자면 한 박스에 12,000원짜리 양평 치즈를 48만 코인에 사들인다고 했다. 구매 수량은 무한.

'대박이다……!'

인구 200억의 거대한 시장이 눈앞에 펼쳐졌다.

현재 신희현의 레벨은 97. 듀얼 클래스를 획득함으로 인하여 앞으로 레벨 업 속도는 분명히 느려질 거다. 그것을 고려한 신희현은.

'시간당 효율이 안 맞아서 안 하려고 했는데.'

하나를 더 하기로 마음먹었다. 엘렌이 물었다.

"어떤 걸 하실 생각입니까?"

"보스 몹 하나 잡으려고."

"보스 몬스터 말입니까?"

어떤 보스 몬스터를 말하는 건지. 우르칸은 며칠 전에 잡았다. 그래서 제왕의 발톱을 획득했고 노블레스 등급 클리어도 해냈다. 신희현의 성격상 또 하지는 않을 것 같은데.

"와일드 비에 들어갈 거야."

"와일드 비의 보스 몬스터를 레이드하실 생각입니까?"

"어, 그런데 나 혼자 할 거야."

"……."

말도 안 되는 일이다. 어떻게 보스 몹을 혼자 잡는단 말인가. 아무리 레벨 업을 통한 실력 향상과 올 스킬 리듀스의 콜라보가 있다고는 해도 혼자서 보스 몹을 레이드하다니.

엘렌에게는 던전 보스 몹에 관한 정보는 없었다. 이제는 자연스럽게 질문했다. 파트너로서의 자괴감 같은 것도 이제는 느껴지지 않았다.

"보스 몹의 레벨은 몇 정도 됩니까?"

"90."

신희현보다는 낮다. 하지만 보스 몹이다. 보스 몹은 일반 몹과는 완전히 다르다. 각종 보정을 받으며 필살기가 하나씩은 있게 마련이다.

90짜리 보스 몹을 안전하게 잡으려면 90레벨 플레이어가 6~10명 정도는 파티를 이루는 게 보통이다.

"아…… 노가다는 귀찮은데."

신희현은 수건을 하나 챙겼다. 그리고 수련 사제를 통하여 길잡이의 초급 스킬 '버티기'를 익혔다.

"놈을 100번은 잡아야 해."

엘렌이 말했다.

"신희현 플레이어답지 않군요."

최소의 움직임으로 최대의 효율을 이끌어 내는 플레이어, 듀얼 클래스라는 약점을 충분히 극복할 만큼 엄청난 능력을 보유하고 있는 플레이어가 어째서 이런 불합리한 행동을 하는지 알 수 없었다.

"두고 보면 알아."

Wild B.

귀찮기는 해도 고스트 비를 많이 잡아야 했다. 고스트 비가 드랍하는 비얄 젤리는 이 레벨 대에서는 적수를 찾아보기도 힘들 만큼의 엄청난 버프 능력을 선사하는 아이템이었으니까.

신희현이 말했다.

"비얄 젤리를 최소 40개 정도는 획득할 거야."

강민영이 고개를 끄덕였다.

"응."

레벨 90대의 천재 마법사 강민영은 이제 신희현의 명령 없이도 제 할 일을 알아서 잘 해냈다. 모르는 곳도 아니고 수십, 수백 번은 들어왔던 와일드 비다.

"파이어 볼."

파이어 볼에 이은.

"파이어 애로우."

거의 시간 차 없이 이어진 공격.

"파이어 볼."

역시 시간 차는 거의 없었다. 파이어 볼과 파이어 애로우라는 초급 마법을 혼용하여 쿨타임 없이 마법을 계속해서 펼쳐 냈다.

"죽어."

루시아가 히죽 웃으며 방아쇠를 당겼다.

비얄 젤리 50개를 획득할 수 있었다.

[Wild boar가 출몰합니다.]

그리고 이어진 Wild boar 무리의 공격. 거의 100마리에 이르는 멧돼지가 한꺼번에 모습을 드러냈고, 거기에 강민영이 '불 바람+3'을 펼쳤다.

과거 레벨 70대일 때에도 놈들을 쓸어버렸었다. 그때는 불 바람+1이었고 이제는 불 바람+3이다.

거기에 더해.

"불 폭풍!"

화염계 마법사들이 가장 즐겨 사용한다는 광역기, 불 폭풍이 몰아닥쳤다.

비얄 젤리를 섭취한 그녀의 불 폭풍은 레벨 40대의 와일드 보어 무리를 순식간에 녹여 버렸다. 신희현의 도움도 필요 없었다.

저 커플은 역시…….

엘렌은 영체화 상태로 상황을 지켜보기만 했다. 이건 정말 사기라고밖에 표현할 길이 없었다. 아니, 이건 학살이었다. 레벨 90대 플레이어가 40레벨대 몬스터들을 도륙하는 중이다.

던전 클리어 조건(400마리 사살)을 만족하는 데에는 그리 오랜 시간이 걸리지 않았다. 강민영의 역할은 여기서 끝이었다.

신희현이 말했다.

"민영아, 고마워."

"고맙긴 뭐가 고마워. 나야말로 항상 오빠한테 고맙지."

그리고 시간이 지난 만큼 신희현과 강민영의 스킨십도 조금 더 발전했다. 신희현이 강민영의 입술에 가볍게 키스했다. 한두 번이 아니건만 강민영의 얼굴이 조금 빨개졌다. 괜히 부끄러워져서 발끝으로 땅을 톡톡 찼다.

"가, 갑자기 웬 뽀뽀야?"

"그냥 귀여워서."

"하, 하나도 안 귀여워."

부끄러워진 강민영은 말을 돌렸다.

"나는 그럼 이제 나가볼게. 오빠, 오빠가 대단한 건 아는데…… 그래도 몸조심해야 해."

"알았어."

보스 몹은 혼자 잡을 거다. 걸음을 옮겼다. 알림이 들려왔다.

[보스 몬스터 존에 진입하시겠습니까? Y/N]

신희현의 주변이 붉게 물들었다. 보스 몬스터 존에 진입했다는 의미다. Wild B의 보스 몬스터 Wild Bear는 흉폭한 놈으로 유명했다.

'저기가 좋겠어.'

알림이 들려왔다.

[보스 몬스터, Wild Bear가 출몰합니다.]

보스 몬스터가 생성되려면 시간이 조금 걸린다. 신희현이 걸음을 옮겼다.

'이 나무가 제일 오르기 편하겠네.'

와일드 베어는 커다란 곰의 형상을 하고 있다. 고릴라처럼 자신의 가슴을 쿵쾅쿵쾅 치는 습성이 있는 곰인데, 커다란 덩치와는 어울리지 않게 재빠른 몬스터였다.

앞발 공격은 그 위력이 상당하여 와일드 베어보다 높은 레벨의 전투 클래스라 할지라도 방심할 수는 없었다.

와일드 베어가 모습을 드러내기 시작했다. 아무것도 없는 공간에 일렁거림이 생겼다. 보스 몬스터가 생성되고 있는 거다.

"무엇보다도 크리티컬 샷 확률이 무려 50퍼센트가 넘거든, 저놈은."

신희현은 미리 준비한 수건을 꺼냈다. 기다란 수건이었다. 나무를 감싸 안듯 둘렀다. 그리고 마치 원주민처럼 나무를 타기 시작했다. 일직선으로 곧게 뻗은 나무이지만 신희현은 그리 어렵지 않게 나무를 오를 수 있었다.

엘렌이 말했다.

"일반적으로 곰의 형태를 한 몬스터는 나무를 잘 탑니다."

"알지."

당연히 안다. 보통의 경우는 그렇다. 하지만 와일드 베어는 아니다.

"다행히 놈은 나무를 못 타. 나무를 쓰러뜨리지도 않고."

처음에 와일드 베어는 공략하기 매우 까다로운 몬스터였다. 공격력도 강하고 맷집도 좋다. 이렇다 할 특별한 기술은 없지만 피지컬 자체가 좋은 데다가 크리티컬 샷 확률도 높은 공격을 갖고 있는 몬스터.

하지만 주변의 나무를 이용하여 상대하는 공략이 나온 이후로는 꽤나 쉽게 잡을 수 있는 몬스터가 되기도 했다.

'시간만 많이 쓰면 솔로잉까지도 가능했어.'

과거에도 그랬고 지금도 그렇다. 놈의 가죽은 굉장히 좋은 방어구의 재료가 된다. 보스 몬스터다 보니 좋은 아이템도 드랍하곤 했다.

'인기 좋은 놈은 아니었지만.'

물론 인기 많은 몬스터는 아니었다. 와일드 보어 무리까지만 잡더라도 쏠쏠한 경험치가 된다. 굳이 위험을 감수해 가면서, 혹은 시간을 많이 써가면서 와일드 베어를 잡을 필요는 없다. 와일드 베어를 잡지 않아도 클리어는 가능하니까.

그런데 놈을 100번이나 잡은 이상한 또라이가 하나 있었다.

그 또라이의 이름은 김상목. 와일드 베어는 아이템도 아이템이지만 그 고기의 맛이 일품이란다. 고기에 집착하는 김상목이 놈을 100번이나 잡았다. 꽤 유명한 일화다.

루시아가 발포했다.

탕!

거대한 소리와 함께 나뭇잎들이 휘날렸다.

머리에 정통으로 얻어맞은 와일드 베어는 크허엉! 울음소리를 내며 나무 위를 쳐다봤다. 두 발로 일어서서 마치 고릴라처럼 가슴을 탕탕 쳤다. 와일드 베어가 할 수 있는 건 그것뿐이었다.

공략만 알면 쉽게 잡을 수 있는 보스 몬스터 와일드 베어는 루시아의 공격에 속수무책으로 당했다. 맷집이 워낙 좋은 녀석이라 쉽게 잡지는 못해도 루시아는 계속해서 놈에게 대미지를 가할 수 있었다.

시간이 흘렀다.

Wild B에 99번 들어왔다. 그 말인즉, 놈을 99번 사살했다는 소리다. 이제는 엘렌마저 나무에 앉아 꾸벅꾸벅 졸 경지에 이르렀다.

루시아가 말했다.

"이번에 마무리하겠습니다."

탕!

총성이 터져 나왔다.

쿠허어엉!

와일드 베어는 허무한 곰생(?)을 끝마쳤다.

신희현은 기대감에 씨익 웃었다.

'이제……'

지난 99번의 레이드 동안 알림을 많이 들었다. 보스 몬스터를 사냥했고 그에 따라 아이템들을 얻었으며 보스 몬스터 레이드 보상을 얻었다. 사실 그런 것들은 별로 중요하지 않았다.

'알림이 들릴 때가 됐는데?'

그때 알림음이 들려왔다.

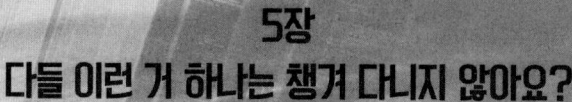

5장
다들 이런 거 하나는 챙겨 다니지 않아요?

신희현은 효율을 중요시한다. 그런 의미에서 보자면 지금의 이 보스 몹 레이드는 효율이 영 나빴다. 원래대로라면 하지 않았을 거다.

조금 더 시간이 흐르고 나면, 김상목을 필두로 하여 놈을 100번씩 잡는 플레이어들이 나타나게 될 거고 그때 이 아이템을 구입하면 된다.

라비트를 통해 거래를 한다면 코인은 얼마든지 얻을 수 있었으니까. 인구 200억의 대시장이 눈앞에 펼쳐져 있었으니 돈은 별로 문제가 안 됐다.

[축하합니다!]

[Wild Bear 100회 사냥이 확인되었습니다!]

[특별한 보상이 주어집니다.]

['Wild Bear의 쓸개'가 보상 아이템으로 주어집니다.]

Wild Bear의 쓸개는 보상 아이템이다. 이걸 특별한 방식을 통해 정제한 뒤 섭취하면 자유 포인트 1개를 얻을 수 있다.

엘렌이 물었다.

"신희현 플레이어, 이것을 위하여 이렇게 오랜 시간을 투자하신 겁니까?"

"어."

"신희현 플레이어답지 않군요. 이것은 어디에 쓰는 물건입니까?"

일단 냄새가 별로였다.

"이거 정력에 엄청 좋아."

"……."

"백만돌이가 되는 거지."

엘렌은 자신의 귀를 의심해야만 했다. 난데없이 정력이라니. 신희현이 피식 웃었다.

"농담이야."

그리고 각성할배를 찾았다. 각성할배는 신희현의 얼굴을 기억했다.

"오랜만이구만. 그래, 어쩐 일인가?"

"할아버님, 고민이 있을 것입니다."

"그것을 어찌 알았누?"

"저에게는 특별한 능력이 있습니다. 할아버님의 고민을 단박에 해결할 수 있습니다."

이제부터 각성할배의 일장연설(?)이 시작될 거다.

어린 시절의 불우했던 이야기부터 시작하여 이룰 수 없었던, 가슴 아팠던 첫사랑 이야기, 첫 번째 부인을 불의의 사고로 잃고 방황했던 얘기 등, 온갖 얘기를 쏟아낼 것인데.

"제게 Wild Bear의 쓸개가 있습니다."

이 한마디로 모든 것이 정리됐다.

"할아버님의 기구한 사연, 이미 널리 퍼져 있습니다. 저는 그것이 너무나 딱하여……."

눈물은 안 나왔는데 하여튼 눈물이 나는 척을 했다.

각성할배는 감동했다. 각성할배가 신희현의 어깨에 손을 얹었다.

"자네가 나를 이렇게까지 생각을 하고 있었다니……."

그는 감동한 나머지 눈물을 글썽거렸다. 엘렌의 날개 끝이 조금 구부러졌다. 이제는 저런 사기가 아주 익숙해 보였다.

"내 자네에게 줄 수 있는 것은 거의 없고……."

집 안에 들어가 무언가를 가지고 나왔다. 물약이었다. 프리 포인트 포션이라 불리는 것이다. 프리 포인트 포션을 마시면 자유 포인트 1개를 얻을 수 있다.

"약소하지만 이것이 내가 자네에게 표하는 성의일세."

알림음이 들려왔다.

[퀘스트 '각성할배의 각성을 도와라!'가 클리어되었습니다.]

엘렌은 아무런 말도 하지 않았다. 퀘스트가 진행된 적도 없는데 클리어됐다. 더 정확히 말하자면 퀘스트가 생성됨과 동시에 클리어된 거다. 클리어 조건 아이템부터 먼저 건네주고 퀘스트를 시작했으니 그럴 만도 했다.

신희현이 립 서비스를 해줬다.

"새로 얻으신 아내분께서 그렇게 미인이라고 소문이 자자하더군요."

몇 번 해준다고 입술이 닳는 것도 아니고.

"허허허. 고맙네. 내 이것은 아주 잘 쓰겠네."

거기에 루시아와 엘렌을 팔았다. 은근슬쩍 아부를 섞었다.

"루시아와 엘렌 역시 형수님의 미모에 넋을 잃었다고 하더군요."

어느새 루시아가 소환되어 신희현의 뒤에 섰다. 루시아는 아무런 말도 하지 않았다. 엘렌도 아무 말도 안 했다.

당연한 말이지만, 엘렌과 루시아는 저 '형수'라는 사람이 누군지 알지 못한다. 관심조차 없다. 그녀들은 아예 처음 듣는 말이다. 하지만 루시아는 신희현의 생각을 받아들일 수 있다. 교감 스킬이 이래서 좋다.

"정말 기운 넘치실 것 같습니다. 정말 안타깝네요."

그러면서 안타까운 듯 입술을 핥았다.

"게다가 그렇게 부자시라고……. 사내대장부로 태어나 대단한 금력과 미모의 여인을 얻으셨으니. 소녀는……."

충직한 루시아도 살짝 뜸을 들였다. 그녀 역시 당황한 듯했다. 목소리가 아주 조금 떨렸다.

"소녀는…… 오빠를 흠모하지 않을 수 없네요."

엘렌은 충격을 받았다. 교감을 통해 무슨 말이 오가고 있단 말인가. 오빠라니. 신희현이 왜 저런 명령을 내렸나 의문이 일었다. 그 의문은 금방 풀렸다.

"하하하, 과찬이야. 과찬일세. 내가 그렇게 부자도 아니고."

말은 그렇게 하면서 어깨에 힘이 잔뜩 들어갔다. 집 안으로 들어가더니 포션 하나를 또 갖고 왔다.

"자, 이것은 우리가 만난 인연에 대한 성의의 표시네."

신희현이 씨익 웃었다. 프리 포인트 포션, 또 얻었다. 루시아는 고개를 끄덕였다. 교감을 통해 신희현의 생각을 읽을 수 있었다.

'오빠라 쓰고, 호구라 읽는다라······.'

명언이구나.

그렇게 생각한 루시아는 씨익 웃었다.

각성할배와의 짧은 만남을 끝낸 신희현은 공략의 방을 활성화했다.

우렁찬 목소리가 들려왔다.

"어서 오십시오!"

엄청난 덩치와 근육을 자랑하는 아놀드가 싱글벙글 웃으며 신희현을 맞이했다. 신희현은 그곳에서 프리 포인트 포션을 섭취했다.

그가 프리 포인트 포션을 얻기 위해 시간을 투자한 이유는 간단했다. 그 시간을 투자함으로 인하여 미래의 시간을 절약할 수 있기 때문이다.

'라비트 덕에 코인 문제는 해결됐고.'

호구, 아니, 대상인의 자제인 라비트 덕분에 코인이 해결됐다. 라비트의 세계에 사는 사람들이 양평 치즈를 싫어하게 된다면 얘기는 달라지겠지만. 하여튼 코인과 관련한 시간을 많이 줄였다.

['자유 포인트 1개'가 생성되었습니다.]

신희현은 지체하지 않고 그 자유 포인트 1개를 '성웅의 증표+1'에 투자했다. 마지막 확인음이 들려왔다.

['자유 포인트 1개'를 성웅의 증표에 적용하시겠습니까?]
['성웅의 증표+1'이 '성웅의 증표+2'로 업그레이드되었습니다.]

현재 신희현은 레벨 업에 불이익을 얻고 있다. 현재 레벨업 속도를 보면 결코 불이익을 받는 플레이어의 속도라 할수 없지만, 하여튼 그는 불이익을 받고 있다. 듀얼 클래스를 가지고 있기 때문이다.

충성심 가득한 아놀드는 쪼그리고 앉아 또랑또랑한 눈으로 신희현을 쳐다봤다.

"오, 형님. 뭔가 존나게 간지 나는 것을 진행하고 계십니까?"

정작 신희현은 아무런 대답도 하지 않았건만 아놀드는 혼자서 결론을 내리고 혼자서 감탄했다.

"역시 형님은 이곳을 방문하는 수많은 좆밥 새끼와는 달라도 뭔가 다르시군요."

성웅의 증표가 업그레이드되면서 효과 역시 커지게 됐다.

〈성웅의 증표+2〉

성웅의 길을 스스로 선택한 자에게 주어지는 숙명의 증표.

효과:

   (1) 솔로 플레잉 시 경험치 35프로 상시 추가 획득

   (2) 파티 결성 시, 파티원 전체 경험치 20프로 추가 획득

   (3) 영웅급 수호신과의 계약 진행

신희현의 심장이 두근거리기 시작했다.

+1의 효과와 +2의 효과는 다르다.

당연하다. 당연한 말이지만, +1보다 +2가 좋다.

그런데 +2와 +3의 효과는 또 다르다. +1만큼이 진행될수록 효과가 훨씬 더 커진다.

'+3까지는 실패 확률이 0프로.'

실패 확률도 없다. 무조건 성공이다.

['자유 포인트 1개'를 성웅의 증표에 적용하시겠습니까?]

['성웅의 증표+2'가 '성웅의 증표+3'으로 업그레이드되었습니다.]

〈성웅의 증표+3〉

성웅의 길을 스스로 선택한 자에게 주어지는 숙명의 증표.

효과:

   ⑴ 솔로 플레잉 시 경험치 50프로 상시 추가 획득

   ⑵ 파티 결성 시, 파티원 전체 경험치 30프로 추가 획득

   ⑶ 영웅급 수호신과의 계약 진행

솔로 플레잉 시 경험치 50프로 상시 추가가 가능해졌다. 룰 브레이커를 사용하여 상위 레벨 몬스터를 사냥하면 20프로의 추가 경험치가 주어진다. 거기에 몰이사냥 효과까지 더해진다면.

'듀얼 클래스의 단점을 극복할 수 있어.'

엘렌은 침을 꿀꺽 삼켰다. 이러한 효과들에 더하여.

'노블레스 등급 클리어와 각종 최초 클리어 보상 등을 석권하면…….'

듀얼 클래스임에도 불구하고 여타 다른 클래스의 플레이어보다 훨씬 더 빠른 레벨 업을 할 수 있을 거다.

아놀드는 상황을 모른다. 신희현과 엘렌의 표정으로 미루어 짐작할 뿐이다. 엄지손가락을 치켜세웠다.

"역시 형님은 대단하십니다!"

뭔지는 모르지만 말이다.

라비트의 전폭적인 지원(?) 아래 공략의 마을은 구색을 갖추기 시작했다.

개척 효과와 코인을 활용하여 건물을 생성하고 그 건물에 맞는 NPC를 소환할 수 있었다.

공략의 마을이 마을의 모습을 갖춰가면 갖춰갈수록 그곳을 이용하는 플레이어의 숫자는 기하급수적으로 늘어났다.

"토끼 가죽 5개 팝니다!"

"도롱뇽의 눈알 10개 팝니다!"

이곳은 장터의 역할도 이행했다. 많은 플레이어가 모이는 곳이다 보니 상권이 자연스레 형성된 거다. 거래되는 아이템은 초보 아이템뿐이지만.

장터뿐만 아니라 플레이어들이 제일 많이 이용하는 곳은 바로 '마을 회관'이었다.

마을 회관이라고 해봐야 별거 없었다. 커다란 집에 40대 남자 NPC가 한 명 있을 뿐이다. 이 NPC를 통해 새로운 공략이나 정보 등을 받을 수 있었다.

플레이어들 중 한 명이 새로운 정보를 하나 얻었다.

"어라, 이게 뭐지?"

그동안 '길잡이'는 그다지 유명한 클래스가 아니었다. 절대 숫자부터가 적었다. 던전이 본격적으로 활성화된 것도 아니다. 그래서 길잡이는 별로 중요한 클래스가 아니었다. 중요한 클래스도 아니고 플레이어의 숫자도 적다 보니 이렇다 할 정보나 공략이 없었다.

우연히도, 그 플레이어는 길잡이였던 모양이다.

"길잡이 전용 파티 퀘스트?"

길잡이 전용 파티 퀘스트에 관한 정보가 떴다.

"선택받은 길잡이라……."

현시점, 최고 레벨이라 자부하는 길잡이들이 그 파티 퀘스트에 관심을 가지게 됐다.

4명에서 진행하는 파티 퀘스트. 아직까지 발견되지 않은 새로운 던전이 있단다. 그곳은 '길잡이 전용 던전'으로 그곳을 클리어하면 길잡이만의 특별한 보상이 주어진다고 했다.

신희현 역시 마을 회관에 들어섰다. 길잡이 전용 파티 퀘스트에 관한 정보 역시 신희현이 풀었다. 듀얼 클래스로 전직한 이상 그는 길잡이 클래스 역시 확실하게 키우기로 마음먹었다. 예전보다 훨씬 더 유리한 상황이다.

'선택받은 길잡이가 되어야 한다.'

일반 길잡이와 '선택받은 길잡이'는 출발선부터가 다르다. 과거 신희현은 일반 길잡이였다. 선택받은 길잡이를 부러워했었다.

신희현이 낯익은 얼굴을 발견했다.

'홍경식.'

길잡이 홍경식. 과거 아탄티아 던전에서 수많은 플레이어를 죽음으로 몰아넣고 강민영을 죽게 만들었던 장본인. 당시 최고의 실력을 자랑하던 길잡이 홍경식이 보였다.

'역시 나타났구나.'

이를 바드득 갈았다. 하지만 고개를 저었다.

'아니.'

아직 그 일은 일어나지도 않았다. 지금의 홍경식은 그때의 홍경식이 아니다. 레벨 디텍터로 홍경식의 레벨을 확인했다.

[레벨 55]

길잡이라 짐작되는 플레이어들의 레벨을 확인해 보니 평균적으로 약 40 정도 됐다. 이 정도면 선택받은 길잡이 퀘스트를 클리어하는 것에는 무리가 없을 거다.

목소리가 들려왔다.

"혹시…… 길잡이이십니까?"

신희현이 고개를 들었다.

'홍경식.'

우연의 일치일까. 홍경식이 먼저 다가와서 말을 걸었다.

"차림새가 가볍고…… 다른 무기가 보이지 않습니다. 그리고 길잡이들을 유심히 살펴보고 계시는군요. 그래서 길잡이라 짐작했습니다."

"……네."

신희현이 가볍게 미소를 지었다. 과거의 홍경식은 아니지만 홍경식을 보면 화가 난다. 분노가 치솟아 오른다. 하지만 그것에 휘둘리지는 않았다. 표정 관리 정도는 어렵지도 않았다.

신희현이 말했다.

"그쪽도 길잡이신가 봐요?"

"네, 저도 이번 공략에 관심이 있어서요. 이미 저 외에 2명을 섭외했습니다."

"그렇군요. 잘됐네요."

즉석에서 파티가 꾸려졌다. 4명이 파티를 이루면 된다. 인원이 정해져 있는 퀘스트다.

홍경식이 물었다.

"실례지만…… 레벨이 어떻게 되시죠? 레벨 제한이 25인지라……."

레벨 절대 룰이 존재하는 세상이다. 레벨을 공개하는 것은 자살 행위나 다름없다.

신희현이 얼버무렸다.

"50은 넘습니다."

홍경식이 눈을 크게 떴다.

"정말입니까?"

엄청난 고수라면서 호들갑을 떨었다. 홍경식이 말을 이었다.

"저는 이제 겨우 40을 넘었을 뿐인데…… 정말 대단하시군요."

다시 한 번 레벨 디텍터를 사용해봤다.

[레벨 55]

신희현이 씨익 웃었다.

'어디 재롱 한번 부려봐라.'

한번 두고 볼 참이다. 무슨 짓을 할지.

아직 홍경식은 아무런 잘못도 하지 않았다. 어쩌면 그때의 상황이 그를 그렇게 만들었을 수도 있다. 레벨을 속이는 거야 워낙에 자주 있는 일이고. 그래서 한번 지켜보기로 했다.

신희현이 말했다.

"선착순 퀘스트인 것 같습니다. 빨리 시작하죠."

몇 시간 전.

신희현은 물약 상점의 미나로부터 특수한 물약 하나를 구입했다. 물약의 이름은 폴리모프 물약.

미나는 반색했다.

"정말이야? 그렇게 매일매일 사주겠어?"

"당연하지. 나는 네 아름다움에 눈이 멀었어. 네 연구에 도움이 될 수 있다면 나는 얼마든지 코인을 바칠 수 있어."

미나는 감동했다.

"고마워. 너는 정말 내 은인이야."

미나와의 계약을 완료했다. 폴리모프 물약을 개당 3코인에, 한 달 100개의 물량을 계속해서 구입한다고 했다.

"안 그래도 재고가 너무 많이 쌓여서 고민이었는데."

"아름다움의 가치를 잘 몰라서 그래, 사람들이."

나중에는 재고가 없어서 못 판다. 플레이어들이 자신의 모습을 숨기고 싶을 때 필요한 것이 바로 폴리모프 포션이다.

미나가 파는 폴리모프 포션은 얼굴을 바꿔주는 역할을 한다. 그것 외에는 아무런 효과도 없다. 지속 시간은 약 6시간 정도. 문제는 아름다워지는 게 아니라 조금, 아니, 많이 못생겨진다.

어쨌거나 현시점에서 폴리모프 포션은 비인기 품목이었고 신희현은 립 서비스를 통해 싼값에 계약했다. 완전한 힘을 갖추기 전까지는 자신의 정체를 감추는 게 좋았다.

신희현은 가장 먼저 부평 지하상가에 도착했다.

'이쯤 어디였는데.'

선택받은 길잡이가 되기 위한 던전. 꽤 유명한 곳이다. 이름을 떨쳤던 길잡이의 대다수가 선택받은 길잡이였고, 그들은 이 던전에 대한 정보를 아낌없이 풀었으니까.

하지만 이 던전은 인스턴트 던전이다. 한 번 클리어되면 사라지는 던전. 선택받은 길잡이가 되기 위한 던전은 대략 8개 정도 발견이 되는데 그 모두가 인스턴트 던전이었다.

바닥을 유심히 보고 걸었다. 조명과 어우러진 노란빛. 자세히 보지 않으면 보이지 않을 흐릿한 빛을 발견했다. 그곳에 올라섰다. 약 10초 정도 가만히 서 있자 알림이 들려왔다.

[클래스를 확인합니다.]

['길잡이'가 확인되었습니다.]

[축하합니다! 길잡이 전용 던전, '패스파인더'를 최초로 발견하였습니다.]

[최초 발견자의 특혜가 주어집니다.]

[던전 클리어 시 클리어 보상이 추가로 지급됩니다.]

신희현은 고개를 끄덕였다. 이런 형태의 추가 보상도 있다. 조건부 특혜. 클리어를 하게 되면 클리어 보상이 추가로 주어지게 된다.

'이곳의 클리어 보상은……'

'선택받은 길잡이'라는 칭호다. 향후 길잡이로서의 행보에 큰 도움을 주게 되는 칭호인데.

'이것에 대한 추가 보상이라는 소리인가?'

알 수 없었다. 클리어를 해봐야 알 수 있을 것 같았다.

현재 신희현의 레벨은 99. '패스파인더' 내에서 그 무슨 짓을 당하더라도 안전하다. 패스파인더 내의 대표적인 몬스터 '화이트 몽키'가 떼로 둘러싸고 덤벼들어도 괜찮다.

화이트 몽키의 평균적인 레벨은 35 정도. 아무리 비전투 클래스인 길잡이라 할지라도 일단 레벨 격차가 60 이상 나면, 클래스의 의미가 사라지게 마련이다. 화이트 몽키가 아무리 날고 기어도 신희현의 몸에 생채기 하나 내기 힘들다.

'슬슬 올 때가 됐는데.'

일부러 이 근처에서 공략을 풀었고 길잡이들을 모집했다. 가장 먼저 이곳에 입성하기 위해서 말이다.

움직일 수도 없었다.

[클리어를 진행할 수 없습니다.]

[현재 인원: 1/4]

신희현은 인상을 찡그렸다. 어떻게 된 길잡이들이 던전 하나 못 찾아서 이렇게 시간이 오래 걸리느냔 말이다.

'아무리 홍경식이라도…….'

이 시기의 홍경식은 허접할 수밖에 없는 것 같았다. 시간이 더 흘렀다. 홍경식이 입장했다.

[새로운 플레이어가 입장합니다.]

홍경식이 내심 아깝다는 듯한 표정을 지었다.

"정말 빨리 찾으셨군요."

공략의 방을 통해 최초 발견자에게는 특혜가 있다는 사실을 밝힌 적이 있다. 그걸 받기 위해 홍경식은 굉장히 분주하게 움직였을 터다.

하지만 애초에 출발선이 다르다. 아예 부평에서 시작한 신희현과 분당에서 출발한 홍경식의 발견 속도는 다를 수밖에 없었다.

홍경식이 말했다.

"4명이 채워져야만 진행이 가능한 던전이군요. 만약 사람들이 이곳을 영영 못 찾으면 그땐 어떻게 되는 거죠?"

"……글쎄요. 저도 그 부분은 생각해 보지 않아서."

생각해 본 적 있다. 보통 인원이 정해져 있는 던전의 경우, 일정 시간이 지나면 포기 알람이 뜬다. 인원이 채워지지 않으면 포기하고 탈출할 수 있다. 인스턴트 던전의 경우는 '던전의 소멸'을 의미한다.

홍경식이 한숨을 내쉬었다.

"좀 걱정이 되긴 하네요. 여기서 굶어 죽진 않겠죠."

시간이 더 흘렀다. 다행히 2명의 길잡이가 찾아왔다. 둘은 친구라고 했다.

"안녕하세요? 30살 최수혁입니다."

"안녕하세요? 30살 임태준입니다."

간단하게 인사를 끝냈다. 공교롭게도 신희현의 나이가 가장 어렸다. 이름은 거짓으로 말했다.

"제가 막내네요. 24살 강유석입니다."

이러면 조금 불리할 수도 있다. 한국 사회는 나이가 중요시되는 사회니까. 그래서 선수 쳤다.

"레벨은 50이 조금 넘습니다."

신희현은 민주주의를 그다지 좋아하지 않는다. 일반적인 상황에서 민주주의는 아주 좋은데, 급박한 상황에서의 민주주의는 잡음을 만들 뿐이다.

적어도 지금 같은 상황에서는 그랬다. 해답지를 뻔히 알고 있는 상황에서 자신이 원하는 방향으로 팀을 이끌어 나가려면 이 안에서 입지를 확보하는 것이 중요했다. 신희현은 그

사실을 아주 잘 알고 있었다.

신희현이 빠르게 말을 이었다.

"이곳의 클리어 조건은 전원이 생존한 상태로 마지막 관문을 통과하는 것입니다."

홍경식이 물었다.

"전원 생존 조건은 저도 들었는데…… 마지막 관문은 뭐죠? 그걸 어떻게 아는 거죠?"

"제게는 특수한 스킬이 있습니다. 던전의 내용을 미리 살펴볼 수 있습니다."

"……."

물론 그런 거 없다. 하지만 길잡이들은 그런 것이 있나 하고 고개를 갸웃할 뿐이었다. 아니라는 증거도 없었으니까.

"무엇보다도 이곳의 클리어 조건은 전원 생존입니다."

그 말인즉, 모두를 살려야 한다는 소리며 이상한 짓은 하지 않겠다는 뜻이다. 그걸 이해한 다른 길잡이들은 얼떨결에 고개를 끄덕였다.

자기 이름을 강유석이라 밝힌 저 길잡이, 뭔가 어리긴 어린데 박력이 넘친다. 딱히 반박을 할 수가 없었다.

"……그렇게 하죠."

홍경식 역시 고개를 끄덕였다.

"유석 씨가 레벨이 제일 높으니…… 유석 씨를 일단 팀장으로 해서 움직이는 것도 나쁘지 않을 것 같네요. 특수한 스킬도 갖고 계시고."

신희현이 고개를 끄덕였다.

"조금만 앞으로 이동해 주시면 감사하겠습니다. 제가 똥이 급해서."

다들 고개를 끄덕였다.

이곳은 기본적으로 어둡다. 몇 발자국만 움직여도 앞뒤의 상황이 제대로 보이지 않는다.

신희현은 몰래 루시아를 소환시켰다. 뒤에서 몰래 따라오라고 명령을 내렸다. 만약 길잡이들에게 발각될 것 같으면 숨으라고도 얘기했다.

"죄송합니다. 똥이 너무 급했습니다."

신희현이 앞장서서 걸었다. 마치 이곳을 미리 알고 있기라도 하듯 거침없이 전진했다.

어두운 복도를 걷고 있다. 누군가가 깔끔하게 다듬어 놓은 듯한 복도였는데, 상당히 어두웠다. 앞사람의 실루엣이 겨우 보일 정도였으니까.

신희현이 랜턴을 꺼냈다.

"이렇게 어두운 통로의 경우. 빛에 반응하는 함정이 있게 마련입니다."

일반적으로는 그렇다. 그러나 이곳은 아니다. 과거 홍경식이 자랑삼아 얘기했던 것이 있다. 그 당시, 엄청나게 긴장했었는데 하나도 위험한 게 없었노라고.

첫 번째 관문으로 이어지는 그 길은 말 그대로 그냥 길이었다고 말이다. 홍경식의 말을 전적으로 믿는 건 아니었지만 신희현은 나름대로 확신했다.

'역시…… 함정 같은 건 없어.'

이런 초급 던전 깨는 거, 식은 죽 먹기다.

일부러 겁을 줬다.

"하지만 너무 어두우니 랜턴을 켜겠습니다. 다만 저와 거리를 벌리는 것이 좋을 것 같습니다. 제가 앞장서겠습니다."

신희현은 자연스레 이 무리의 리더가 됐다. 신희현이 스스로 위험을 무릅쓰겠다는데 마다할 플레이어는 없었다.

"아무런 함정도 보이지 않는군요."

신희현이 빠르게 걸음을 옮겼다. 그 뒤를 플레이어들이 따라 걸었다. 신희현이 잠시 걸음을 멈췄다.

"제가 움직이는 그대로 따라서 움직이시기 바랍니다."

오른쪽으로 세 발자국, 왼쪽으로 두 발자국을 옮겼다. 그리고 앞으로 두 발자국, 뒤로 한 발자국을 옮긴 뒤 오른쪽 벽면에 붙어 조심스레 걷기 시작했다.

홍경식이 물었다.

"함정…… 입니까?"

따라 하기는 하되, 홍경식은 신희현의 말을 믿지 않는 것 같았다. 그럴 만도 했다. 여기는 아무것도 없으니까. 함정이 아니니까.

"조심하세요. 정확하게는 모르겠지만 아마도 원거리 공격이 날아드는 형태의 함정일 가능성이 높습니다."

홍경식을 제외한 나머지 두 플레이어는 신희현이 움직인 대로 조심해서 따라 걸었다. 홍경식 역시 숨을 들이마시고 그렇게 움직였다. 신희현은 홍경식의 움직임을 주시했다.

'근육이…… 경직되어 있다.'

노련한 길잡이는 보면 안다. 상대의 상태를 말이다.

'움직임의 속도가 평소보다 더 느려.'

레벨 50대에 맞는 길잡이의 속도가 아니다. 앞선 다른 플레이어들보다 뛰어난 실력을 갖고 있을 것이 분명한 홍경식이다.

'꿍꿍이가 있네.'

아마도 자신을 믿지 못하는 모양이었다.

'홍경식은 스스로의 실력에 자신이 있는 놈이었지.'

그러다가.

"어, 어라?"

실수인 척, 발인 꼬인 척 걸음을 잘못 옮겼다. 신희현이 몸을 던졌다.

"위험해!"

그와 동시에.

탕!

거대한 소리가 터져 나왔다. 복도 안을 가득 채우고 쩌렁쩌렁 울리는 그 천둥 같은 소리에 플레이어들이 벌벌 떨었다.

몸을 던졌던 신희현이 홍경식의 상태를 살폈다.

"괜찮아요?"

당연히 괜찮다. 교감을 통해 명령을 내렸다. 공포탄을 발사하라고. 과거 릴 랜드의 제왕 우르칸을 자극했던 그 공포탄 말이다. 말 그대로 소리만 엄청 크다. 살상력 따윈 없다. 안 괜찮으면 그게 더 이상하다.

홍경식도 적잖이 당황한 것 같았다.

"죄, 죄송합니다."

최수혁과 임태준은 너무 놀라 아무런 말도 하지 않았다.

"바, 방금 도대체 무슨 일이 일어난 거죠?"

"총성이 터진 것 같은데……."

아까 저 강유석이란 플레이어가 말하지 않았던가. 원거리 공격이 예상된다고. 그 예상이 정확하게 맞아떨어졌다.

홍경식이 말을 더듬으며 사과했다.

"죄, 죄송합니다. 그, 그리고 감사합니다."

"아닙니다."

엘렌은 눈을 질끈 감았다. 빛의 성웅인 자신의 파트너가 또 사기를 치고 있지 않은가.

신희현은 마치 정의의 영웅이라도 되는 듯, 아무것도 아니라는 듯 자리에서 일어섰다.

"아무도 안 다치셨으면 됐습니다."

엘렌은 말하고 싶었다.

아무도 안 다칠 수밖에 없는 상황이지 않습니까.

방금의 사건(?)으로 인하여 신희현은 이 일행의 확실한 리더로 자리매김했다. 성웅의 증표에 긍정적인 영향을 끼쳤다는 알람까지 들려와서 엘렌은 왠지 모를 죄책감마저 느꼈다.

신희현은 생각했다.

'리드하기 훨씬 편하겠어.'

이런저런 사정 다 봐주고 모든 의견 다 들어주면 시간만 괜히 늘어난다. 이왕에 클리어하는 거 빠르게 클리어하는 게 최고다.

"첫 번째 관문입니다."

문이 하나 보였다. 가정집의 방문같이 생겼다. 다른 건 없고 딱 문만 덩그러니 놓여 있었다.

"이곳은 길잡이 전용 던전입니다. 주변에는 이에 관한 단서가 무수히 많이 놓여 있습니다."

문을 열었다. 다른 세상이 펼쳐져 있었다. 문 안쪽으로는 나무가 죽 늘어져 있는 숲길이 보였다. 신희현이 문 안쪽을 유심히 살폈다.

"저기 있네요, 다른 문이."

저만치 멀리, 다른 문이 보였다. 신희현이 모든 것을 파악하기라도 한 듯 말했다.

"아마도 화이트 몽키라 짐작되는 몬스터의 배설물이 많이 떨어져 있습니다."

다른 플레이어들은 아무런 말도 못했다.

저 안을 잠시 살펴봤을 뿐인데 저런 걸 어떻게 다 파악했단 말인가. 저게 정말 레벨 50의 위엄이라는 말인가.

"또한 나무에 잔상처가 많고 바나나 껍질이 널브러져 있죠. 화이트 몽키가 침입자를 반기지 않는다는 소리입니다."

말을 이었다.

"공격을 하겠죠. 공략집을 보면 아시겠지만…… 레벨은 35 정도. 공격력 자체는 높지 않지만 재수 없게 머리에 얻어맞아 크리티컬 샷이 뜨면 죽을 수도 있겠죠. 우리의 목적은 저다음 문까지 이동하는 겁니다. 사상자 없이."

최수혁이 침을 꿀꺽 삼켰다.

'저런 플레이어와 함께할 수 있다는 게 다행이다.'

뭐랄까, 신세계를 맛본 기분이다. 엄청난 초고수와 동행하는 것 같은, 그런 기분에 사로잡혔다.

최수혁이 물었다.

"그렇다면 우리는 어떻게 해야 합니까?"

신희현이 대답했다.

"다들 이런 거 하나는 챙겨 다니지 않아요?"

신희현이 뭔가를 꺼내 들었다.

엘렌이 대신 말하고 싶었다.

'누, 누가 그런 걸 챙겨 다닙니까……?'

6장
어쨌든 길잡이는 길잡이

신희현이 인벤토리에서 꺼내 든 것은 다름 아닌 바이크용 헬멧. 굉장히 고가품이다.

"어라, 이런 거 다들 안 챙겨요?"

"……."

보통의 경우는 안 챙긴다. 적어도 아직까지는 그렇다.

"어쩔 수 없죠, 뭐. 혹시나 싶어서 더 챙겨 왔는데."

신희현이 헬멧 3개를 더 꺼냈다. 그곳에는 '안전제일' 네 글자가 쓰여 있다.

그때, 홍경식이 말했다.

"아, 저는 하나 있습니다."

헬멧은 아니고 노란색 안전모이기는 했으나 크리티컬 샷

을 피할 수는 있을 것 같았다.

화이트 몽키는 두 가지 타입이 있다. 원거리 공격 타입, 근거리 공격 타입. 둘은 쉽게 구분이 된다.

'땅몽키는 없네.'

근거리 공격 타입의 화이트 몽키는 '땅몽키'라고 불린다. 나무를 타지 못하고 땅을 걸어 다닌다. 이곳에는 땅몽키가 보이지 않았다. 전부 원거리 공격 타입이라는 소리다.

다시 한 번 주의를 줬다.

"다들 아시겠지만 놈들은 바나나 껍질을 던집니다. 대미지 자체가 엄청난 건 아니지만 머리에 직격으로 맞으면 크리티컬 샷이 뜰 확률이 높습니다. 제가 먼저 시도해 보겠습니다."

신희현이 먼저 걸음을 옮겼다.

"잠시만 기다리세요."

주위를 둘러보는 척했다. 조심조심 걸음을 옮겼다. 그런데 이상한 일이 벌어졌다.

최수혁이 중얼거렸다.

"화이트 몽키가 멀어진 것 같은데…… 그렇지 않냐?"

최수혁의 친구인 임태준 역시 고개를 갸웃했다.

"뭐가 어떻게 되고 있는 거지?"

홍경식이 결론을 내렸다.

"이곳은 길잡이 전용 던전입니다. 따라서…… 그에 특화된 어떠한 퀘스트가 주어져 있겠죠. 이곳은…… 어쩌면 담력을 시험하는 곳이 아닐까 싶은데요."

화이트 몽키가 진을 치고 있고 저만치 앞에 문이 보인다. 이곳을 지나가느냐 마느냐. 그것을 결정하는 관문.

홍경식이 고개를 끄덕였다.

"어쩌면 시간을 오래 끌면 함정이 발동할 수도 있겠어요."

나머지 둘 역시 길잡이다. 홍경식의 말에 동의했다.

"화, 확실합니다. 바로 그거군요."

그런 의미에서 몇 발자국 앞서서 걸어가고 있는 신희현의 등이 그렇게 듬직해 보일 수 없었다.

그들은 저런 플레이어 처음 본다. 이런 던전에 오면 누구나가 다 당황하는 줄만 알았다.

그들은 초고수의 세계를 처음 봤다. 아니, 애초에 초고수라는 게 존재하는지도 몰랐다. 이 시스템이 활성화된 지 얼마 되지도 않았으니까. 어쨌든 그들은 신세계를 경험했다.

신희현이 말했다.

"놈들은 공격할 의사가 없는 것 같습니다."

엘렌이 속으로 대답했다.

'그거야 당연히 제왕의 발톱을 갖고 있기 때문 아닙니까……'

신희현은 다행이라는 듯 한숨을 내쉬면서.

"다행입니다. 다음 관문을 미리 살펴볼 수 있겠군요."

한적한(?) 숲길을 걸어 다음 문 앞에 도달했다. 지체 없이 문을 열었다. 안쪽을 미리 살펴봤다. 신희현도 이 '패스파인더' 내의 모든 관문을 다 외우고 있는 건 아니다. 홍경식의 경험담에 의거한 기억이었으니 확실한 것도 아니고.

문 건너편에는.

'절벽?'

절벽이 있었다. 하늘을 올려다봤다.

'높이는 약 30미터 정도 될 것 같고.'

표면이 제법 울퉁불퉁했다. 별다른 몬스터는 보이지 않았다. 그래도 혹시 몰라 주위를 유심히 살펴봤다. 그는 문제가 안 되는데, 다른 플레이어들이 몬스터의 공격을 받으면 안 되니까.

신희현이 문 안쪽을 살피면서 플레이어들에게 도움을 요청했다.

"몬스터의 흔적을 찾아주세요."

플레이어들 역시 눈에 힘을 주고 안쪽을 쳐다봤다.

신희현이 말했다.

"절벽 형태. 보통의 경우는 비행 몬스터가 있을 확률이 높습니다. 중간중간 놈들의 둥지가 있다거나, 배설물이 보인다거나, 혹은 깃털 같은 것이 어딘가에 떨어져 있을 수 있습니다."

홍경식은 감탄했다.

'저 플레이어는 어디에서 튀어나온 플레이어지.'

홍경식은 고구려 소속이다. 고구려 내에서도 유명한 플레이어다. 더 정확하게 말하자면 비공식적으로 유명한 플레이어다. 상위급 플레이어들 사이에서는 유명한 길잡이로 고구려의 수장인 최용민과 함께 던전을 클리어한 경험도 갖고 있다.

'저런 고수라면…… 반드시 고구려에 등록이 되어 있을 텐데.'

길집이들 중에서는 거의 최고라 자부하고 있었는데 오늘은 차원이 다른 플레이어를 봤다.

'강유석이라. 알아볼 필요가 있겠어.'

그때 신희현이 결론을 내렸다.

"이곳에는 몬스터가 없네요. 다만 문제는 저 위를 기어서 올라가야 한다는 거죠."

"마, 말도 안 됩니다."

최수혁과 임태준은 당황했다. 그들은 맨몸이다.

신희현이 고개를 갸웃했다.

"원래 이런 거 다들 챙기지 않아요?"

신희현이 인벤토리에서 클라이밍 슈즈와 장갑을 꺼냈다. 플레이어들은 침묵했다.

"……."

원래 챙기는 거란다. 정말로 원래 챙기는 것이란 말인가. 그들은 회의감에 빠져들었다.

"제가 먼저 올라가죠. 혹시 로프랑 말뚝 같은 거 챙기신 분?"

"……."

신희현은 내심 헛웃음을 지었다. 과거라면 필수로 챙겨야 할 물건들인데. 이 길잡이들, 아직 길잡이라 하기에는 갈 길이 먼 것 같다. 홍경식이라면 챙겼을 수도 있겠다 생각했는데, 홍경식 역시 아직 그 정도는 아닌 것 같았다.

"다행히 제가 하나 챙기긴 했네요."

"……."

"……대단한 준비성이군요……."

신희현이 절벽을 오르기 시작했다. 세 플레이어가 신희현을 멍하니 쳐다봤다.

'벽을 오르는 특수한 스킬이 있는 건가?'

그렇다고밖에 설명할 수 없었다. 경사를 보면 거의 80도쯤 된다. 수직에 가까운 저 절벽을, 안전 장비도 없이 어떻게 저렇게 자유자재로 오른단 말인가. 속도 자체가 엄청나게 빠르진 않았지만 착실히 올라가는 게 보였다.

그렇게 시간이 흘렀다.

"저게 뭐죠?"

플레이어들이 뭔가를 발견했다.

신희현은 절벽을 올랐다. 꼭대기에 도착하자 문이 하나 보였다.

'다음 관문인가.'

신희현의 기억에 의하면 패스파인더의 던전은 총 4개의 관문으로 이루어져 있다.

'그 당시 홍경식은 도대체 이걸 어떻게 클리어한 거지?'

그건 알 수 없었다.

"어디 보자……."

허공에 둥둥 떠 있는 문 앞으로 걸어갔다. 엘렌이 물었다.

"무엇을 하실 생각입니까?"

"이런 게 고정력이 짱이거든. 말뚝이고 뭐고 필요 없어."

"……예?"

"보니까 매듭법도 모르는 것 같던데."

갈 길이 멀다. 매듭법은 기초 중의 기초다. 신희현은 로프를 꺼냈다. 직사각형 형태의 문. 세로 부분에 로프를 묶었다.

엘렌은 황당해져서 물었다.

"말뚝 대신 문을 활용하시는 겁니까……?"

"어, 그러면 안 돼?"

"아니, 안 되는 건 아닙니다만……."

신희현이 로프를 내렸다.

"로프 내려 줬는데도 못 오면 등신이지."

홍경식이 로프를 발견했다. 로프 끝에는 쪽지 하나가 붙어 있었는데,

"매듭법?"

매듭법에 관한 설명이 있었다. 홍경식이 고개를 끄덕였다.

"보우라인 매듭법 설명이군요."

인명 구조 시에 쓰이는 매듭법으로 매듭이 만들어진 고리의 크기가 변형되지 않는다.

"기본적으로 허리에 묶습니다. 만약 암벽을 오르다가 실수로 떨어진다 해도 매듭이 양쪽 겨드랑이에 걸리는 구조입니다."

"주, 죽지는 않겠군요?"

임태준은 당황했다.

"쪽지를 보고는 잘 모르겠는데요……."

홍경식이 대답했다.

"제가 알고 있습니다."

한 명, 한 명 차례차례로 오르기 시작했다.

안전 장비가 있을 때와 없을 때. 그 차이는 꽤 컸다.

시간은 오래 걸리긴 했지만 모두 암벽 등반에 성공했다.

신희현이 말했다.

"생각보다 쉬웠죠?"

뭔가 해냈다는 것에 흥분한 최수혁이 주먹을 불끈 쥐었다.

"네, 생각보다 쉬웠습니다. 오르기 쉽도록 튀어나온 부분이 많더군요."

임태준도 호들갑을 떨었다.

"이게 다 강유석 씨 덕분입니다. 강유석 씨가 없었으면 이 던전을 어떻게 클리어했을지. 눈앞이 깜깜하네요."

홍경식도 고개를 끄덕였다.

"정말입니다. 강유석 씨를 만난 건 행운이군요."

신희현이 머쓱하게 웃었다. 그러면서 홍경식을 슬쩍 쳐다봤다.

'과거에 너도 이곳을 클리어했었지.'

아무런 정보도 없는 상태에서.

홍경식의 태도가 이상한 건 아니었지만 신희현은 홍경식에 대한 경계를 풀지는 않았다.

"여러분이 올라오는 동안 다음 관문을 미리 살펴봤습니다."

세 번째 관문을 통과하려면 필수적인 스킬이 하나 있었다.

"다들 버티기 익히셨죠?"

다행히 모두 익혔다. 문 안쪽에는 거대한 나무 하나가 굉장히 빠른 속도로 치솟아 오르고 있었다.

'빅 바오밥 나무네.'

처음 한 5미터까지는 자라는 속도가 느리다. 그러다가 5미터가 넘어가는 순간 엄청난 속도로 하늘로 치솟는다.

빅 바오밥 나무는 약 300미터까지 자라는 거대한 나무다.

저만치 하늘 위에는 섬 같은 것이 둥둥 떠 있었다. 육지라 짐작되는 곳이었다.

"제가 관찰한 결과 약 300미터까지 자라고 난 이후, 얼마 지나지 않아 급속도로 썩어 문드러집니다. 사라져 버립니다."

"신기하네요."

어쨌든 중요한 건 이 나무를 이용하여 아마도 저 위에 있을 다음 관문을 향해 올라가는 거다.

"처음 5미터 정도는 속도가 느리니까 그때 나무에 몸을 고정시키고 버틸 준비를 해야 합니다. 제가 먼저 올라가고 그다음 차례차례 올라오세요. 굵기가 일정하게 자라는 나무니까…… 로프를 이용해서 몸을 단단히 고정하면 편할 겁니다."

임태준의 목소리가 떨렸다.

"괘, 괜찮은 겁니까……?"

만에 하나라도 제때 땅에 올라서지 못하면 300미터 높이에서 떨어지는 것 아니겠는가.

"괜찮습니다. 길잡이잖아요?"

"……."

신희현이 먼저 시범을 보였다.

'와, 이거 오랜만이네.'

빅 바오밥 나무는 앞으로도 종종 나오게 될 거다. 빅 바오밥 나무의 씨를 가지고 다니는 플레이어들도 생겨날 거다. 높은 곳을 빠르게 오르거나 절벽과 절벽 사이를 건널 때에 유용하게 써먹을 수 있기 때문이다.

'사실 뭐 별거 아닌데.'

뭐든지 경험해 본 자와 경험해 보지 않은 자의 차이는 클 수밖에 없다. 신희현도 예전에 많이 해봤다.

가장 먼저 하늘 위에 떠 있는 섬에 올라섰다.

"어디 보자. 문이 어디 있냐."

저만치 앞에 문이 보였다. 문 안을 살펴봤다.

"뭐 저래……?"

화이트 몽키, 그중에서도 땅몽키가 득실거렸다.

"설마 저 안을 통과하라는 건가?"

제왕의 발톱 없이 저 안을 통과하는 건 불가능에 가까웠다. 이 던전의 클리어 조건은 '전원 생존'이다.

'과거엔 나 없이도 이 던전을 클리어했었는데.'

전원 생존이 가능했을까?

'뭐지……?'

상황을 보아하니 다음 빅 바오밥 나무가 올라오려면 30분은 넘게 걸린다.

"저놈들 리젠 시간이 어떻게 되려나?"

확인 한번 해봐야겠다. 엘렌이 물었다.

"어쩌실 생각입니까?"

"아무래도 저길 통과해야 하는 모양인데, 그냥 다 죽이지 뭐."

"……."

……여기, 길잡이 전용 던전인데요. 어느 길잡이가 그렇게 무식한 방법을 씁니까?

하고 묻고 싶을 정도였다.

"일단 리젠 시간부터 알아보자."

라비트를 소환했다.

"온몸의 털이 근질근질했소. 으, 으헉! 저 못 봐줄 꼴의 놈들은 무엇이오! 털 관리 좀 해라 이것들아! 털에 대한 모독이다!"

라비트는 땅몽키가 털 관리를 하지 않는 것에 대해 분개했고.

"모두 죽이겠습니다."

루시아가 굳이 단도를 꺼내 들었다. 혀로 단도를 핥았다.

신희현이 고개를 저었다.

"총이 더 빠르잖아."

"……맞군요."

엘렌은 점점 더 아득해지는 기분이 들었다.

'맞군요'라니. 당신은 원래 저격수 아니었습니까. 뭐, 뭐가 아쉽다고 아쉬운 표정을 짓고 있는 겁니까.

엘렌은 분명 들었다. 루시아가 짧게 '칫' 하고 아쉽다는 듯 혀를 차는 것을 말이다.

루시아는 단도를 갈무리하고 권총을 꺼내 들었다.

하여튼 길잡이(?)의 기상천외한 패스파인더 클리어가 시작됐다.

대충 봐도 100마리는 넘어 보이는 땅몽키 사이로, 길잡이 한 명이 뛰어들었다.

땅몽키 100여 마리가 득실거렸다.

하얀색 털, 손에 쥔 몽둥이, 제법 단단한 근육.

길잡이들, 올 테면 와봐라.

그 정도의 흉흉한 기세를 내뿜고 있던 땅몽키들이 괴상한 소리를 내기 시작했다.

끽! 끼긱! 끽! 끽!

뭔가 다급해 보였다.

라비트가 레이피어를 높게 들어 올렸다.

"이놈들! 기사의 자긍심도 없는 것이냐!"

화이트 몽키들이 앞다투어 도망치기 시작했다. 제왕의 발톱을 알아본 것인지, 강자에 대한 두려움 때문인지 마구 도망쳤다.

어떤 화이트 몽키가 넘어졌다. 그 위를 다른 화이트 몽키들이 무자비하게 짓밟았다. 밟으려고 밟은 게 아니다. 도망치려고 우왕좌왕하다 보니 그렇게 됐다.

신희현은 내심 황당했다.

'이게 뭐냐?'

이곳은 길잡이 전용 던전이다. 전투 클래스의 던전이 아니다. 화이트 몽키는 현재 길잡이들 수준에서 충분히 위협적인 몬스터다. 그 몬스터가 대놓고 도망을 치다니.

라비트는 분개했다.

"나의 아름다운 털이 네놈들을 결단코 용서하지 않으리라!"

싸워보지도 않고 도망치는 저 화이트 몽키들이 못내 마음에 들지 않는 것 같았다. 루시아가 양손에 권총을 쥐고서 마구잡이로 발사하기 시작했다.

[스킬, 트리플 샷을 사용합니다.]

탕! 탕! 탕!

탕! 탕! 탕!

두 자루의 권총이 엄청난 속도로 총알을 쏘아댔고.

"천둥여자야! 뒤를 부탁한다!"

라비트가 레이피어를 물고서 앞으로 내달렸다. 그간의 숱한 싸움을 거치면서 라비트는 이제 루시아를 신뢰하게 됐다. 루시아의 엄호를 뒤로한 채 라비트가 레이피어를 내질렀다.

신희현은 입맛을 쩝 다셨다.

"민영이가 있었으면 쉬웠을 텐데."

강민영의 광역기와 정령왕 칸드의 에이드 커튼이 합쳐지면 저런 조무래기들쯤은 순식간에 쓸어버릴 수 있었을 거다. 이런 잡몹(?)들을 정리하는 건 역시 마법사가 최고다.

이곳은 직사각형 형태의 방이다. 화이트 몽키들은 도망치고 도망치다가 한곳에 몰리게 됐다. 화이트 몽키들이 털을 세웠다. 라비트가 호오 하고 놈들을 쳐다봤다.

"호오라? 드디어 전투에 대한 의지가 생겨나는 것인가! 이 추잡한 털들이여!"

궁지에 몰리게 되니 화이트 몽키 역시 이빨을 드러냈다. 그 대상은 그나마 약해 보이는 신희현. 신희현을 향해 적개심을 드러냈다. 루시아와 라비트가 엄호하고 있어서 가까이 다가오지는 못했지만.

끼익! 끼이익!

누군가, 화이트 몽키의 말을 번역할 수 있는 누군가가 있다면 이렇게 해석을 했을지도 모르겠다.

왜 우리를 괴롭히느냐! 우리는 착한 몽키들이란 말이다!

화이트 몽키들 중에서도 열혈 몽키인 듯한 놈 하나가 신희현을 향해 달려들었다.

가끔 있다. 이렇게 발작하면 제왕의 발톱도 소용없다. 극한의 상황에 몰렸을 때. 몬스터들이 이상 행동을 보이기도 한다.

신희현은 루시아가 분노하고 있음을 느꼈다.

"감히 어느 안전이라고 이빨을 드러내는 것이냐!"

그러면서 굳이 권총을 갈무리하고 단도를 꺼냈다.

신희현을 향해 달려든 화이트 몽키가 높이 점프했다. 오른손에는 몽둥이를 들었다. 신희현에게 휘두르려는 듯, 몸동작을 취했다.

루시아가 단도를 입에 물고 점프했다. 화이트 몽키의 발을 낚아챈 다음 그대로 땅에다 던져 버렸다.

퍽!

소리와 함께 화이트 몽키가 땅에 떨어져 내렸고.

푸욱!

루시아가 단도를 화이트 몽키의 심장에 꽂아버렸다. 총으로 쏴도 되는데 굳이 단도를 사용했다.

"감히 나의 오빠에게 적개심을 드러낸 죄."

그리고 가벼운 권총을 사용해도 되는데, 굳이 이 가까운 거리에서 거대 라이플을 꺼내 들었다.

"죽음으로 갚아라."

탕!

거대한 총성이 터져 나왔다. 신희현마저도 귀를 막을 정도의 총성. 화이트 몽키의 머리가 박살 났다.

루시아가 고개를 들었다.

끼힉! 끼히익!

안 그래도 겁에 질려 있었던 화이트 몽키들이 혼비백산해서 이리저리 마구 도망 다녔다.

"천둥여자에게 질 수 없지! 이 몸이 라비트 대공이시다!"

라비트가 쉴 새 없이 '일격필살'을 외쳤다. 강민영만큼 빠르게 놈들을 쓸어버리지는 못했지만 100여 마리를 정리하는 데에 10분이 채 걸리지 않았다.

엘렌은 물끄러미 상황을 주시했다.

'이곳은 길잡이 던전인데……'

세상에 어느 길잡이가 화이트 몽키들을 저렇게 도륙해 버린단 말인가.

솔직히 그녀는 종종 헷갈린다. 자신의 임무가 무엇인지, 자신의 역할이 무엇인지 말이다. 말 안 해줘도 신희현은 혼자서 척척 잘한다. 자신의 존재 의의에 대해서 깊을 고찰에 빠질 때가 있을 정도다.

'왠지……'

정말로 면허라도 따야 할 것 같다. 그래야 도움이라도 될 것 같은 기분이 들었다. 자동차 운전. 생각만 해도 설렜다. 날개에 힘이 빡 들어갔다.

길잡이 주제에(?) 화이트 몽키들을 도륙한 신희현은 주변을 둘러봤다.

'목숨을 걸고 길을 찾아서……'

'선택받은 길잡이' 던전은 보통 '길잡이가 갖춰야 할 덕목'

에 관한 던전이다. 담력이라든지, 과감한 결단력이라든지 그런 것들 말이다.

'아, 저쪽. 바나나들로 놈들의 시선을 분산시킨 뒤……'

그다음, 다음 관문을 향해 미친 듯이 뛰어야 하는 구조였던 것 같다.

'어느 정도 피해는 감수해야만 하는 곳이네.'

단단한 방패, 혹은 두꺼운 옷, 혹은 갑옷 같은 것을 착용하고서 놈들의 공격을 뚫고 난 후, 다음 관문으로 향하는 것. 그것이 이곳의 클리어 방법이었을 터였다.

물론 그 와중 어느 정도 출혈이 있기는 할 거다.

'화이트 몽키의 공격 특성상…… 어지간하면 죽지는 않을 거고.'

그리고 중요한 게 있다. 아무리 화이트 몽키가 많아도 실제로 한 번에 상대해야만 하는 몬스터의 숫자는 끽해야 네다섯이다.

그들에게 둘러싸여 공격당해도 한 방에 죽지는 않는다. 즉, 전체를 상대할 자신이 없으면 적당한 도주로를 찾아 이리저리 도망치면 다음 관문으로 갈 수 있었을 거다. 아마도 홍경식 역시 과거에 그렇게 클리어했을 거다.

"역시 남자는 힘이지."

그냥 힘으로 밀어붙였다. 힘으로 밀어붙이면 안 될 것도 된다. 루시아와 라비트는 다시 역소환했다.

"도대체 리젠은 언제 되는 거지?"

아무리 기다려도 리젠이 될 기미가 보이지 않았다. 그사이 홍경식을 제외한 다른 두 플레이어가 하늘 섬 위로 올라왔다.

"이거 정말 짜릿한데요?"

"뭔가 놀이기구 타는 기분 아니었냐?"

계속되는 성공에 그들은 굉장히 즐거운 듯했다. 길잡이 전용 던전, 생각보다 그렇게 어려운 것 같지는 않았다. 물론 강유석이라는-그들은 강유석으로 안다- 걸출한 길잡이가 있기 때문에 가능한 것이기는 했지만.

"홍경식 씨가 오기 전에 다음 관문을 한번 살펴볼까요?"

최수혁과 임태준도 이제 제법 길잡이다운 말을 했다. 시간이 있으면 다음 관문을 보는 게 좋다.

신희현은 아주 잠깐 당황했다.

'거기 아무것도 없는데.'

당황할 건 없다. 몬스터는 리젠이 안 되고 있다. 그냥 착실히 걸어서 다음 문으로 가면 된다.

'뭐, 가면 되지.'

제왕의 발톱이 있다.

'리젠되면…….'

그러면 그냥 '바나나로 놈들을 유인한 뒤 적당한 도주로를 찾아 도망칠 겁니다'라고 설명해 놓고 그렇게 하는 척만 할 거다. 그러고 나서 그냥 들어가면 놈들은 알아서 도망칠 거다.

어라. 놈들이 도망치네요. 그냥 담력을 시험하는 곳인 듯합니다. 우리가 실제로 저 많은 화이트 몽키를 죽이는 건 말이 안 되잖아요? 그렇죠?

그렇게 말하려고 했다. 길잡이 던전이니까. 담력을 시험하는 곳이라고 둘러대면 될 것 같았다.

임태준과 최수혁이 말했다.

"별거 없는 것 같은데요? 뭔가 함정이 숨겨져 있나……?"

시간이 흘렀다.

신희현이 말했다. 아까는 생각만 했었는데 실제로 이렇게 말했다.

"그냥 담력을 시험하는 곳인 듯합니다. 우리가 실제로 저 많은 화이트 몽키를 죽이는 건 말이 안 되잖아요? 그렇죠?"

홍경식도 올라왔을 무렵. 화이트 몽키들이 리젠됐다. 임태준과 최수혁이 떨떠름한 듯 고개를 끄덕였다.

"화, 확실히 그런 것 같네요."

홍경식 역시 이 상황을 믿을 수 없는 것 같았다.

들어오기 전까지만 해도 필사의 각오였다. 바나나로 놈들을 얼마나 유인할 수 있을지도 모르겠고, 적당한 도주로를 못 찾으면 놈들에게 둘러싸여 죽을 수도 있다고 생각했다. 그래서 긴장하고 들어왔는데, 지금 상황은 허탈했다.

'놈들이 알아서 길을 터준다……?'

어떻게 이럴 수가 있단 말인가. 이것이 길잡이 전용 던전이란 말인가.

'길잡이 전용 던전은 난이도가 엄청나게 낮은 것인가……?'

혼란스러웠다. 엘렌은 저들의 심정을 십분 이해했다.

'이해합니다.'

엘렌은 저들이 처음에 얼마나 긴장했는지 알고 있었다. 비장의 각오로 들어왔는데 몬스터들이 알아서 꼬리를 말고 도망치는 괴이한 현상을 봤다.

신희현이 다행이라는 듯 말했다.

"이곳이 길잡이 전용 던전이라서 다행입니다."

최수혁이 고개를 끄덕였다.

"마, 맞습니다. 우리 레벨로 저 많은 놈을 죽일 수는 없습니다."

임태준도 동의했다.

"정말 다행입니다. 이러한 던전이라서 살았습니다."

"새, 생각보다 던전의 난이도가 낮네요."

그들은 웃었다. 뭔가. 복권에 당첨된 것 같은 기분이다. 복권에 당첨되어 목숨을 얻은 그런 느낌이랄까. 이 던전, 뭔가 운이 좋은 던전 같다.

다음 관문에서 네 명의 플레이어에게 알림이 들려왔다.

[축하합니다!]
[마지막 관문, '선택의 방'에 도달하였습니다.]

신희현이 주위를 둘러봤다.

'보상의 방?'

보상의 방은 아니었다. 마지막 관문에 도달하는 순간 네 명의 플레이어가 각자 다른 공간에 귀속됐다.

주위는 컴컴했다. 아무것도 보이지 않았다. 신희현은 당황하지 않았다. 이런 거, 많이 겪어봤다.

엘렌이 새로운 정보를 전송받았다. 그녀는 솔직히 신났다. 날개에 힘이 잔뜩 들어갔다. 오늘은 아주 이례적으로(?) 파트너로서 힘을 발휘하는 것 같은 기분이다.

"새로운 정보가 전송되었습니다."

"파트너를 통해서?"

"네, 그렇습니다. 신희현 플레이어는 패스파인더에 입장한 플레이어들 중 레벨이 가장 높습니다. 그에 따른 특권을 가집니다."

선택의 방은 말 그대로 '선택하는 방'이었다.

"다른 플레이어 1명의 선택을 확인할 수 있습니다."

상황을 단번에 이해한 신희현이 물었다.

"그렇다면 내게 주어지는 선택이 뭔데?"

"첫째, 이 던전을 탈출합니다. 클리어로 인정되지 않습니다. 둘째, 제물 플레이어 한 명을 지목하여 보스 몬스터에게 제물로 바치고 던전을 클리어합니다."

신희현이 인상을 찡그렸다.

"제물 플레이어?"

아무래도 끝이 아닌 모양이다.

"보스 몬스터는?"

"레벨 100대의……."

엘렌은 간만에 조금 뿌듯했다. 정보를 줄 수 있다는 것. 이 얼마나 자랑스러운 일인가.

"강력한 보스 몬스터."

그 이름도 유명한.

"황금 골렘입니다."

신희현이 황금처럼 밝게 웃었다. 엘렌이 말을 이었다.

"셋째, 네 명의 플레이어가 합심하여 보스 몬스터 레이드를 진행할 수 있습니다. 이 경우, 보스 몬스터의 레벨이 10만큼 다운됩니다."

선택은 간단했다. 레벨 100에 이르는 무시무시한 몬스터를 맞이하여 도망을 치든지, 제물을 바치고 클리어하든지, 같이 싸우든지.

"나는 다른 플레이어들의 선택을 확인할 수 있다고?"

"예, 두 번째 선택의 경우 다수결 원칙을 따릅니다."

제물이 될 플레이어를 선택할 수 있다고 했다. 누군가 2명이 신희현을 선택하고 누군가 다른 1명이 홍경식을 선택하면, 신희현이 제물이 된다는 소리다. 혼자서 보스 몹 레이드를 진행해야 하는 안타깝고 절망적인(?) 상황에 빠질 수 있다.

신희현이 회심의 미소를 지었다.

"홍경식의 선택은?"

"홍경식 플레이어는 신희현 플레이어를 제물로 지목했습니다."

그럴 것 같았다, 홍경식이라면.

신희현은 피식 웃었다. 답은 정해져 있었다.

"그렇다면 나는……."

7장
오르벨 출현

신희현이 말했다.

"나는 나를 제물로 선택하겠다."

와라, 황금이여.

그렇게 말하고 싶었다.

신이 났다. 이 세상에 황금 싫어하는 사람이 얼마나 있겠는가.

초저레벨일 때도 황금 골렘 잡은 적이 있다.

지금은? 레벨이 100에 육박한다. 그때는 정말 아무것도 없었다. 맨몸으로 황금 골렘을 잡았다. 그때 사용할 수 있었던 패라곤 엘렌이 전부였다.

"역시 그렇군요."

지금은 상황이 많이 달라졌다. 이제는 황금 골렘과 정면으로 싸워도 될 법했다.

"하지만 신희현 플레이어."

"엉?"

"이번에는 상황이 조금 다를 수도 있습니다."

신희현이 씨익 웃었다.

"보스 몹이라는 거지?"

"……예, 신희현 플레이어가 어련히 알아서 잘하시겠지만…….."

"걱정 마."

일반 몹이면 정면으로 싸웠을 수도 있다. 아무래도 저번처럼 잡는다면, 시간이 오래 걸리는 건 사실이었으니까. 그런데 상대는 보스 몹이다. 보스 몹 보정을 받는 데다가 필살기도 갖고 있을 거다.

"보스 몹이라는 놈들, 생각보다 단순하거든."

"……예?"

"걔네 필살기든 뭐든 쓸라면 지들이 위협을 느껴야 돼."

그 말인즉.

"난 도망만 칠 건데?"

다수결의 원칙에 따른다고 했다. 이미 홍경식이 자신을 지목한 것을 확인했다. 그러면 누가 어떻게 선택하든 최소한 신희현은 보스 몹 레이드에 제물(?)로 바쳐질 수 있다는 소리다.

알람이 들려왔다.

[선택의 방에서 탈출합니다.]
[보스 몬스터 룸, '황금 골렘 신전'으로 이동합니다.]

시간이 좀 더 흘렀다. 어쩌면 하고 생각은 했지만 실제로는 긴가민가했었는데,

'실제로 이렇게 될 줄이야.'

이게 최상의 시나리오다.

"여기서 뵙는군요."

홍경식이 신희현을 발견했다. 홍경식은 이 상황을 믿을 수가 없었다.

'나는 분명 강유석을 선택했다.'

그런데 강유석과 자신 둘 다 이곳에 있다. 그렇다면 각각 2표를 얻었다는 말이 된다. 홍경식 자신이 신희현을 선택했

으니, 임태준과 최수혁 둘 중 한 명이 강유석을 지목했을 거다.

'그러면 나와 다른 한 명이 강유석을 선택한 것이 되고.'

다른 나머지 한 명이 자신을, 그리고 강유석 역시 자신을 선택했다는 말이 된다.

'병신들인가?'

입술을 살짝 깨물었다. 아무리 생각해도 그의 상식에서는 강유석을 제물로 삼는 게 맞았다.

그는 너무나 뛰어난 플레이어였다. 지금 당장은 경쟁조차 되지 않는 수준의 플레이어. 레벨은 겨우 50대에 불과하지만-그는 그렇게 알고 있다- 그 실력은 겨우 50대가 아니었다. 그가 잘 안다. 왜냐하면 그의 진짜 레벨도 55니까.

그런 플레이어를 손쉽게 죽여 버릴 수 있었는데.

'씨팔, 머저리 새끼들.'

그런 기회를 스스로 날려 버린 거다, 그 멍청이들이. 뛰어난 경쟁자를 없앨 수 있는 좋은 기회였는데.

신희현이 먼저 말했다.

"여기서 이렇게 뵙네요."

"……그렇군요."

눈앞에는 신전이 하나 보였다. 고대 그리스의 신전과 비슷한 형식.

[보스 몬스터 레이드가 시작됩니다.]

신전을 비롯한 모든 곳이 붉게 물들기 시작했다. 근처에 황금 골렘이 보이지는 않았다. 아무래도 신전 안에 들어가야 나타나는 모양이었다.

신희현이 홍경식을 쳐다봤다.

"왜 날 선택했어요?"

"그것이 가장 합리적인 선택이라고 생각했습니다."

"합리적?"

"강유석 씨라면 이곳을 클리어할 수 있을 거라고 생각했습니다."

신희현은 피식 웃었다. 신희현의 기준에서 홍경식은 지금 햇병아리다. 아무렇지도 않은 척하고는 있지만 긴장한 것이 눈에 확 보였다. 저것도 지금 거짓으로 얼버무리고 있는 거다. 평소의 홍경식이라면 이런 실수는 안 했을지도 모른다.

홍경식은 지금 신희현이 자신의 선택을 어떻게 알았는지에 대해서도 의심을 가지지 않았다. 말 그대로 그냥 낚였다.

신희현이 홍경식의 어깨를 툭툭 두드렸다.

"그럼 3번을 선택하면 됐잖아요."

"……."

"보상을 포기하기는 싫고, 그렇다고 다 같이 레이드하는 위험부담도 싫고. 그렇죠?"

홍경식은 아무런 말도 못했다. 그의 말이 맞기 때문이다.

홍경식이 말했다.

"강유석 씨가 저를 죄인 취급할 권리는 없는 것 같습니다. 강유석 씨도 저를 선택한 것 아닙니까?"

"아닌데요?"

신희현은 홍경식이 무슨 말을 하고 있는지 안다. 분명 임태준과 최수혁 둘 중 하나가 신희현을 선택했고, 자신과 또 다른 한 명이 홍경식을 선택했다고 믿고 있을 거다.

"나는 나를 선택했는데?"

"……뭐라고요?"

믿을 수 없었다. 어지간히 미친놈이 아니고서야 왜 자신을 제물로 선택하겠는가.

"재미있을 것 같아서."

홍경식은 확신했다.

'이 새끼, 사이코다.'

등에 식은땀이 흘렀다. 강유석이 자신을 쳐다보는 그 눈빛을 느꼈다. 결코 호의 어린 눈빛이 아니었다. 정확하게는 잘 모르겠다. 그런데 먹잇감을 노리는 맹수 같다는 그런 생각이 들었다.

'씨팔…….'

뭐가 어떻게 될지 모르겠다. 방금, 분명 소름 돋았다.

'저 새끼…… 뭔가 있다.'

뭔가 확실히 느꼈다. 그의 눈동자는 분명 평범한 사람의 것이 아니었다.

'왜 불길하지?'

뭔가 불길한 느낌이 들었다. 신희현은 지금 미소를 짓고 있는데 저 미소가 미소 같지 않았다.

신희현이 말했다.

"저 안으로 들어가야 하는 거 같네요."

엘렌은 순간 자신의 눈을 의심해야만 했다. 신희현의 표정이 평소와는 달랐다.

'처음부터 홍경식 플레이어를 대하는 눈빛이 별로였다.'

엘렌의 기준에서 홍경식이 신희현을 선택한 것은 그렇게 나쁜 선택은 아니었다. 어느 정도 합리적인 선이었다. 엘렌 자신이 홍경식이었다 하더라도 신희현을 제물로 선택하고 방을 빠져나왔을 거라고 생각했다.

'신희현 플레이어가 오늘따라 조금 이상하다.'

뭐랄까, 다른 사람 같았다.

"라비트, 루시아."

신희현이 두 소환 영령을 한꺼번에 소환했다. 홍경식은 두 눈을 크게 떴다.

'뭐지?'

뭔가가 갑자기 나타났다. 그는 '소환사'라는 직업을 잘 모른다.

"길잡이에게 그런 스킬도 있습니까……?"

"아뇨, 없어요."

"그럼……?"

"……."

신희현은 대답하지 않았다.

늘 뭔가를 중얼거리면서 나타나던 라비트도 지금 이 순간은 침묵을 유지했다. 레이피어를 뽑아 들고 허리를 꼿꼿이 세운 상태로 걸었다. 루시아도 아무런 말도 하지 않았다. 신희현 뒤에서 걸었다.

교감을 통해 뭔가가 오가고 있다는 것을 짐작한 엘렌은 분위기가 미묘하다는 것을 느꼈다.

'뭔가…… 일이 벌어질 것 같아.'

신희현이 두 명의 소환 영령을 공개했다는 건.

'정체를 비밀로 하지 않겠다는 뜻이야.'

그건 즉.

'홍경식 플레이어를…… 살려둘 생각이 없는 거야.'

그렇게 결론을 내렸다. 그렇지 않고서는 지금 신희현의 행동이 이해되지 않았다.

신희현 플레이어가 일반 플레이어와는 완전히 다른 플레이어라는 건 진즉에 알고 있었다. 그런데 조금 더 새로운 사실을 깨달았다.

'이런 상황에서도 전혀 동요하지 않고 있어.'

심지어 내색도 별로 안 하고 있다. 뭔가 미묘하게 이상하다는 것 정도만 느껴진다.

홍경식도 신희현도 아무런 말도 하지 않았다. 소환 영령들과 플레이어들의 발자국 소리만이 신전 속에 울려 퍼졌다.

그사이 홍경식은 재빨리 머리를 굴렸다. 호랑이 굴에 들어가도 정신만 차리면 산다고 했다.

홍경식은 확신했다.

'아마도 제물은 한 명만 있으면 되겠지.'

지금 신희현의 태도가 살짝 이상한 것도, 아마도 자신과 비슷한 생각을 하고 있음이 틀림없었다.

길잡이 전용 던전에서 실제로 보스 몬스터를 잡으라는 건 아닐 테고. 분명 방법이 있을 터였다.

'어떻게 하면 저놈을 제물로 삼지? 놈도 분명 나와 똑같은 생각을 하고 있을 텐데.'

자신보다 더 뛰어난 길잡이다. 자신과 똑같은 생각을 하고 있음이 틀림없었다.

상대를 제물로 던져서 이곳의 클리어 조건을 만족하는 것.

'놈을 몰래 죽이면 되나?'

모르겠다. 알 수 없었다.

신전 내의 불이 모두 꺼졌다. 갑자기 어둠이 닥쳤다. 아무 것도 보이지 않았다. 그리고 저 멀리, 뭔가 번쩍이는 것이 생겨났다. 어둠 속에 황금빛 다이아몬드가 번쩍이고 있는 것 같았다.

[보스 몬스터 레이드가 시작됩니다.]

불이 조금씩 밝아지기 시작했다. 신전 내, 횃불이 활활 타올랐다. 횃불이 타오르고, 주변은 붉게 물들고. 보스 몬스터 황금 골렘이 육중한 몸을 이끌고 신희현과 홍경식을 향해 천천히 걸음을 옮겼다.

홍경식의 등에서 식은땀이 줄줄 흘러내렸다.

'도망쳐야 한다.'

저런 몬스터, 처음 본다. 공략집에도 없는 몬스터였다. 5

미터가 넘는 거대한 골렘. 흉흉한 기세를 내뿜는 저 눈동자는 자신을 집어삼킬 것 같은 기분이 들었다.

'못 이겨.'

도망쳐야 했다. 일단 시간을 끌고 방법을 찾아야 했다. 강유석을 죽이면 어떻게든 방법이 나올 것 같았다.

홍경식이 뒷걸음질 쳤다. 신희현은 그 자리에 가만히 서 있었다. 영체화 상태의 엘렌이 말했다.

"황금 골렘의 보스 몹 레이드의 클리어 조건은 보스 몬스터 존 내 플레이어 1명의 사망, 혹은 보스 몬스터 사냥입니다. 그럼…… 저는 핵을 찾으러 움직이겠습니다."

루시아와 라비트 역시 명령을 이행했다.

황금 골렘은 핵만 찾으면 별거 아닌 놈이다. 버그를 이용해서 쉽게 잡을 수 있다. 황금도 많이 얻고.

신희현은 등을 보였다.

'분명 나를 찌르겠지.'

이쯤 되면 홍경식 역시 클리어 조건에 대해 들었을 거다. 파트너를 통해서 들었든, 알림을 통해서 들었든.

그렇다면 이제.

'예전처럼 어디 한번.'

과거, 아탄티아 던전에서 홍경식은 팀원들을 배신했었다.

'재미있네.'

그때도 역시 제물이 필요한 상황이었다. 그런 상황, 던전을 클리어하다 보면 얼마든지 마주칠 수 있는 상황이다.

'그때, 저레벨이었던 종찬이를 찔렀었지.'

물론 당시에는 몰랐다. 홍경식과 다른 길로 움직이고 있었기 때문이다. 아무런 상의도 없이, 다른 돌파구를 찾을 생각도 않고 홍경식은 그랬었다.

'그래, 팀원들을 제물로 삼아 탈출했었어.'

일부러 함정으로 유도했었다. 그 팀에는 강민영도 포함되어 있었고.

'그때랑 똑같이 한번 해봐라.'

그때 뭔가가 느껴졌다. 몸을 뭔가가 탁 친 것 같은 기분. 신희현은 이러한 기분에 익숙하다. 오랜만에 느끼는 이 느낌은 저레벨 플레이어가 고레벨 플레이어를 공격했을 때의 느낌이다.

신희현이 뒤도 돌아보지 않았다.

"레벨 절대 룰이라고 알아?"

"……."

홍경식의 얼굴이 새파랗게 질렸다.

이럴 수가. 레벨이 도대체 몇이기에.

자신 역시 레벨 55다. 그래서 도박을 했다. 어차피 이렇게 되나 저렇게 되나 죽는 건 매한가지. 그래서 도박을 던졌는데. 완전히 실패했다.

"사실 조금 긴가민가했거든."

홍경식은 실성한 것처럼 나이프로 신희현을 계속 찔렀다. 그러다가 이내 나이프를 집어 던지고 으아아아악! 비명을 지르며 도망쳤다. 그사이, 황금 골렘도 더욱 가까워졌다.

"네가 옛날과 같은 놈인지, 내가 널 죽여도 되는지. 왜냐하면 너는 아직 아무런 잘못도 하지 않았으니까."

"개, 개소리 마라!"

홍경식이 더욱 멀리 도망쳤다. 황금 골렘의 속도가 더 빨라졌다. 신희현과 지척거리. 손만 뻗으면 닿을 거리다.

신희현은 움직이지 않았다. 도망치던 홍경식이 뒤를 힐끗 쳐다봤다. 뭔지는 모르겠지만 운이 좋은 것 같았다. 저대로 두면 신희현이 죽을 것 같았다. 제아무리 고수 길잡이라고 해도 황금 골렘에는 어쩌지 못할 것이 틀림없었다.

'죽어라!!!'

하지만 상황은 그의 생각처럼 흘러가지 않았다. 신희현이 혼자서 중얼거렸다.

"세상에서 가장 위험한 쓰레기가 바로 실력은 있지만 배신하는 아군이야."

실력이 없으면 아예 안 믿으면 된다. 적이면 당연히 못 믿는다. 그런데 실력 있는 아군이 배신하면 그 타격은 어마어마하다. 아탄티아 던전에서 300명이 죽었다.

"그냥 너 죽어라."

황금 골렘은 빠르게 움직이는 물체에 반응한다. 신희현을 지나친 황금 골렘이 홍경식을 향해 뛰기 시작했다.

신희현은 천천히 걸음을 옮겼다. 라비트로부터 주군이 말한 이상한 물건을 찾았다는 연락을 받았다.

신전 한쪽 구석. 신희현은 몸을 숨기고 기다렸다.

5시간쯤 지났을 때, 미친 듯한 비명도, 다급한 발걸음 소리도 어느 순간 사라졌다.

엘렌이 입을 열었다.

"홍경식 플레이어가 사망했습니다."

그리고 신희현이 바빠졌다.

"지금부터가 제일 바빠."

무겁게 침묵을 지키던 라비트가 고개를 갸웃했다.

"뭐가 그렇게 바쁘단 말이오? 뭐가 아직 남은 것이오?"

신희현이 외쳤다.

"라비트! 뛰엇!"

라비트의 털이 바르르 떨렸다.

"무, 무리요! 황금을 입안에 가득 채우라니! 내 입주머니의 용량은 그렇게 크지 않소! 나는 그렇게 돼지가 아니오!"

"빨리 뛰어. 시간 없어."

"제, 젠장!"

루시아 역시 마찬가지였다. 그 뛰어난 신체 능력을 바탕으로 달렸다. 그녀의 오른손에는 자루 하나가 들려 있었다.

"엘렌, 뭐 해?"

엘렌의 날개도 바르르 떨렸다. 그녀 역시 하늘을 날았다. 황금을 수거하기 위해서.

"시간 없어. 빨리빨리 움직여."

클리어 조건을 충족했다. 클리어가 완전히 인정되기 전에 버그를 사용하여 황금 골렘을 없애 버리고 황금을 얻어야 했다.

황금 골렘의 폭발이야 뭐, 레벨 100이 넘는 소환 영령들이니까 별문제 없을 거다. 진짜 자폭 공격이 아니고 말 그대로 버그 때문에 폭발하는 거니까.

파트너 엘렌은 당황스러웠지만 그래도 힘이 솟았다. 뭔가 할 수 있는 일이 생긴 것 같은 기분이랄까. 누구보다도 열심히 황금을 수거했다. 날개에 힘이 빡 들어갔다.

홍경식이 죽은 그 이후, 바로 황금 골렘을 죽였고 클리어 인정과 보상이 주어지기 전에 황금을 최대한 많이 채취했다.

라비트의 볼은 굉장히 빵빵했다.

"제, 제장! 나으 이주머니가 이어케 모사시하게 이요대다니(젠장! 나의 입주머니가 이렇게 몰상식하게 이용되다니)!"

저래 보여도 엄청난 양의 황금을 저장할 수 있다. 신희현이 피식 웃었다.

"잘했어, 잘했어."

모르긴 몰라도 아마 뭐가 됐든 압축을 시켜서 보관을 할수 있는 모양이었다. 라비트만의 인벤토리라고 생각하면 편했다. 보통의 경우 황금을 저장하지는 않겠지만.

엘렌도, 루시아도 열심히 황금을 주웠다.

얼마 지나지 않아 클리어 알림이 들려왔다.

[축하합니다!]

['패스파인더'를 클리어하였습니다.]

[보상을 산정합니다.]

시간이 조금 흘렀다. 신희현이 보상이 궁금해졌다.

'홍경식 때문에 시간을 많이 끌었어.'

최단 시간 요건은 만족하지 못할 것 같았다. 하지만 변수도 있다.

원래 이 던전은 2번 선택지를 통하여 플레이어를 한 명 제물로 바치고 나머지 플레이어들이 보상을 독차지하는 형식의 던전이었을 것이다.

그런데 신희현은 제물 플레이어가 된 뒤 클리어 조건을 충족하고, 클리어가 완전히 인정되기 전 황금 골렘을 죽이기까지 했다.

'원래대로라면 불가능한 방법이겠지.'

불가능한 방법인데 이걸 성공시켰다. 이에 따른 메리트가 분명 있을 거다.

[클리어 등급을 산정합니다.]

신희현은 어깨를 으쓱했다.

'잘하면 A 정도 나오려나?'

노블레스까지는 기대하지 않았다. 어차피 다른 플레이어들과 노블레스 등급 클리어를 공유할 생각도 없었다. 그래서 A 정도 생각했다.

[노블레스 등급·클리어로 판정됩니다.]

신희현은 자신의 귀를 의심해야만 했다.

"응……?"

루시아가 물었다. 굳이 계속 오빠란 단어에 집착했다.

"오빠, 뭔가 잘못된 것입니까? 오빠."

"아니, 그런 건 아닌데……."

이상하네. 노블레스까지는 안 될 텐데. 레벨도 높은 데다가 시간도 오래 걸렸는데.

그러다가 이내 알 수 있었다.

"도대체 이 시기의 플레이어들은 얼마나 약해빠진 거야?"

자신의 기준에서 이 정도면 노블레스가 안 될 것 같았는데 다른 플레이어들을 기준으로 삼으면 노블레스 등급 클리어가 되는 모양이었다. 수준 차이가 워낙 심각하게 많이 났다.

운전기사를 따로 데리고 있고 차가 여러 대 있는 부자의 경우, 대중 교통비가 얼마인지 잘 모르는 경우가 많다. 탈 일이 없고 관심도 없으니까.

그것과 비슷했다. 그는 저레벨의 세계를 잘 몰랐다. 그의 관문 클리어 방식은 저레벨로서는 꿈도 못 꿀 방법들이었다. 정작 스스로는 그게 얼마나 대단한 건지 인지하지 못했지만 말이다.

자루에 황금을 가득 담은 엘렌이 상기된 얼굴로 말했다.

"클리어 조건을 두 가지 다 만족한 것의 영향이 컸습니다."

뭔가, 도움이 되고 있는 것 같은 기분이다.

보상이 이어졌다.

['칼리아의 반지'가 인벤토리에 귀속됩니다.]

신희현이 고개를 번쩍 들었다.

칼리아의 반지. 역시 알고 있다.

과거 불의 정령왕을 소환하여 잠깐 이름을 떨쳤던 소환사 강동훈, 그가 가지고 있었던 아이템으로 알려져 있는 반지였다. 반지의 정확한 능력은 잘 모르고 있었지만 하여튼 최고 클래스의 소환사가 가지고 있었던 아이템이다.

'대박이다.'

기대도 하지 않았었는데 줄줄이 대박이 터지고 있다. 거기에 생각지도 않았던 알림이 계속 이어졌다.

[앰플러스 네임 '앞서가는 자'가 적용됩니다.]

신희현조차도 고개를 갸웃했다.

'앞서가는 자?'

엘렌은 신이 났다. 신희현이 모르는 눈치다. 신희현이 모르는 건 자신이 설명해야 한다. 그게 파트너로서의 의무니까!

"신희현 플레이어에게 앞서가는 자가 적용되었습니다. 이로써 신희현 플레이어는 듀얼 클래스와 듀얼 앰플러스 네임을 가지게 되었습니다."

신희현은 어안이 벙벙했다. 선택받은 길잡이 칭호나 하나 받으려고 들어왔는데 앰플러스 네임을 받았다. 운이라고밖에 설명할 길이 없었다.

'이건 도대체······.'

좋긴 좋다. 너무 좋다 보니 불안할 지경이다.

엘렌은 혼자 신났다.

"신희현 플레이어는 팁 알림음을 통하여 아이템과 앰플러스 네임의 효과를 확인할 수 있습니다."

"······응?"

당연한 얘기를 상기된 얼굴로 하고 있는 엘렌을 보니 뭔가 안쓰러웠다. 뭔가, 혼자 신나서 너무 당연한 얘기를 하고 있는 것 같다.

신희현은 '나도 알아'라고 말하지 않았다.

'그냥 저 기분을 만끽하게 해주자.'

신희현이 말했다.

"고마워, 엘렌."

"파트너로서 당연한 일을 했을 뿐입니다."

평온한 척하면서 말했지만 신희현은 확실히 알았다. 엘렌 지금 엄청 흥분한 상태다.

"그래, 앞으로도 잘 부탁해."

〈칼리아의 반지〉

르폰토 제국의 악명 높은 소환사 칼리아가 평생에 걸쳐 만들어낸 역작. 칼리아의 인생과 정수가 담겨 있다. 르폰토 제국 역사 2000년간 만들어진 소환사의 반지 중 최고의 반지라 알려져 있다.

팁 알림에는 약간의 설명이 덧붙여져 있었다.

칼리아의 악행에 분노한 콜리아스 황제가 20만 대군을 이끌고 칼리아의 은신처를 급습했고 그중 10만 명이 칼리아에 의해 죽거나 다쳤단다. 120일이 넘는 대전투 끝에 콜리아스 황제는 칼리아의 손목을 잘라낼 수 있었는데, 손목이 잘려 나가는 바람에 반지를 잃은 칼리아는 결국 콜리아스에게 패배하고 처형되었단다.

신희현은 씨익 웃었다.

'이 정도의 거창한 설명이 있는 반지면…….'

사실 아이템의 배경 같은 건 아무래도 상관없었다. 거창한 설명이 있는 아이템은 그만큼 훌륭한 효과를 자랑하게 마련이다.

칼리아의 반지가 가지는 효과는 다음과 같았다.

(1) 모든 소환수의 소환 시간 300퍼센트 증가

이것만 해도 대박이었는데.

(2) 대미지 환산. 대미지를 소환 시간으로 변경시켜 적용(환산율:
30퍼센트)

칼리아는 20만 대군을 상대로 120일간 전투를 치렀다고
했다. 소환사로서 그게 어떻게 가능할까 싶었는데, 그걸 이
반지가 가능하게 만들어준 모양이다.

신희현이 엘렌에게 설명해 줬다.

"그러니까 내가 상대에게 대미지 100을 입히면 그걸 30만
큼 적용해서 내 소환 시간을 늘려준다는 거야. 정확하게 어
떻게 환산되는지는 실험을 해봐야 알겠지만."

"그게…… 그렇게 대박입니까?"

"상대가 많으면 많을수록 빛을 발하겠지. 내게도 광역 기
술이 많이 생기게 될 건데……."

광역 기술이 생긴다는 건 한 번에 많은 몬스터를 공격할
수 있게 된다는 소리다.

당연한 말이지만, 한꺼번에 많은 몬스터를 공격하면 자신
이 가하는 대미지 역시 크다는 소리다. 100의 힘을 갖는 공

격으로 10마리를 한꺼번에 공격하면 1,000의 대미지가 인정되는 거니까.

"그 전부가 내 소환 시간을 높여주는 제물이 된다는 거지."

그렇게 되면.

"잘만 활용하면 정령왕쯤 되는 놈도 마음대로 부릴 수 있다는 거야."

"……아."

엘렌은 다시 의기소침해졌다. 신희현으로부터 설명을 듣고 있는 자신의 모습에 조금 슬퍼졌다.

"제물이 될 상대가 많으면 많을수록…… 나는 더 상위의 소환수를 한꺼번에 많이 부릴 수 있게 되겠지."

칼리아의 반지뿐만 아니라 '올 스킬 리듀스'와 같은 보조 스킬도 있다. 거기에 아이템 몇 가지를 추가하고 스킬을 추가한다면.

'정말 1인 군단이 될 수도 있겠네.'

그렇게 되면 1인 군단으로 거듭날 수 있을 거다.

"앰플러스 네임의 효과 역시 크고."

앰플러스 네임 '앞서가는 자'의 효과는 다음과 같았다.

⑴ 모든 상황에서 경험치 20퍼센트 추가 획득. 타 효과와 중복 인정

(2) 던전 내 길잡이 역할 수행 시 추가 경험치 20퍼센트 인정

(3) 길잡이 전용 스킬 쿨타임 30퍼센트 감소

무려 세 가지나 됐는데 신희현은 만세를 부를 뻔했다. 듀얼 클래스 때문에 레벨 업이 느려질 것을 걱정했었다. 그런 걱정은 기우였다. 이 정도면 치트 키 수준 아니겠는가.

'2번을 만족시키려면…….'

던전 내에 길잡이가 한 명만 있으면 된다. 신희현은 이번에 확인했다. 지금 시점에서 자신보다 나은 길잡이는 아무도 없다. 최상위급일 것이 분명한 홍경식의 실력이 변변찮았다. 다른 길잡이라고 다를 게 없다. 다시 말해, 던전 클리어 시 다른 길잡이는 필요 없다는 말이다.

'내가 길잡이니까.'

물론 길잡이 같지 않은 길잡이긴 하지만.

하여튼 던전 내에 길잡이가 한 명밖에 없으면 그 길잡이에게 길잡이의 공헌도가 전부 인정된다.

앰플러스 네임 (1), (2)번 효과를 동시에 충족시킬 수 있다는 소리다.

성웅의 증표 효과, 몰이사냥 효과, 앞서가는 자 효과, 상위 레벨 몬스터 사냥 효과.

이 모든 것 다 합치면 듀얼 클래스의 페널티는 모두 사라

지는 셈이다.

실실 웃었다.

'좋네.'

패스파인더 클리어로 인해 세 가지를 얻었다. 황금과 앰플러스 네임, 그리고 막강한 아이템.

'만족하긴 일러.'

이제 최후의 던전까지 9년 정도 남았다. 대격변은 1년 정도. 그때를 대비해야 했다.

발판은 모두 마련된 셈이다. 처음의 계획보다 훨씬 더 좋은 상황이다.

'다음은……'

강민영은 신희현을 와락 끌어안았다.

"오빠가 너무 오래 연락이 안 되니까……."

신희현도 강민영을 살짝 안아줬다.

"미안해. 걱정시켰지."

반대의 상황이라도 그럴 거다. 강민영이 어떤 던전에 들어갔는데 예상보다 훨씬 늦게 나오면 당연히 걱정된다.

"일이 좀 생겨서……."

"오빠 미워."

강민영은 투정을 부렸다가는 이내,

"그래도 무사히 돌아와서 정말 다행이야."

혼자서 결론을 내렸다. 혼자서 고개를 양옆으로 저은 뒤
말했다.

"나는 오빠를 믿었어. 그래도 오빠가 나 걱정시킨 건 사실
이니까. 엄청난 걸 요구할 거야."

신희현이 피식 웃었다.

"뭐?"

강민영이 고개를 들어 올렸다. 신희현과 눈이 마주쳤다.
엄청난 걸 요구하리라 마음먹었다.

"젤리 100개 사 줘."

며칠이 흘렀다.

"민영아, 이제부턴 노가다 좀 해야 해."

"응?"

"이제 세상이 변할 거야."

"오빠가 그걸 어떻게 알아?"

"나한테 특수한 스킬이 있거든."

엘렌은 고개를 저었다. 잊을 만하면 나온다. 불리한 상황이면 어김없이 등장하는 저 '특수한 스킬' 말이다.

"이제 1년도 안 남았거든."

"……응."

1년 동안 강민영을 육성할 거다. 시간이 되는 대로 신희아와 신강철도 키워야 한다. 대격변이 왔을 때 적어도 스스로를 지킬 힘 정도는 있어야 하지 않겠는가. 레벨은 세계의 룰이 될 거다.

그렇게 1년이 흘렀다.

사람들은 플레이어와 던전에 대해서 훨씬 더 잘 알게 됐다. 이제 그것은 하나의 현상이었다. 아무도 플레이어와 던전에 대해 부정하지 않았다.

던전 클리어를 진행하는 영상은 엄청난 돈이 됐다. 지상파에서도 그 영상을 구입하여 방송할 정도가 됐다. 어마어마한 편집을 거치기는 하지만.

현실에 존재하는 게임 같은 세상이다.

그러던 어느 날 동영상 하나가 세상을 강타했다. 신촌 백

화점 옆, 유플렉스 근처에 생겼다 하여 '유플렉스 던전'이라 불리는 곳의 영상이었다.

플레이어 수십 명이 팀을 이루고 던전에 들어간 영상이었다. 그 영상은 유튜브를 뜨겁게 달궜다. 그 플레이어들은 일반 플레이어가 아니었다. 플레이어 연합 '고구려' 내에서도 정예라 불리는 팀 '광개토'의 플레이어들이기 때문이었다.

"저, 저게 뭐야……?"

오르벨이라는, 멧돼지만큼 덩치가 커다란 검은색 개의 형태를 한 몬스터 수백 마리가 플레이어를 향해 달려들었다.

플레이어들과 오르벨의 전투가 펼쳐졌다. 오르벨은 강력했다. 고구려의 에이스들이라고 할지라도 상대할 수 없었다.

"저, 전원 후퇴!"

영상에는 삭제되었으나 몇몇 플레이어가 사망했다. 퇴각하는 플레이어의 숫자가 줄어들어 있었으니까.

그때 영상 속에 의문의 한 남자가 등장했다. 정확하게 말하자면 5명으로 이루어진 팀이었다.

그리고 놀라운 일이 벌어졌다.

8장
빛의 성웅이라고 전하면 될 겁니다

신희현은 강력한(?) 몬스터 오르벨 무리 앞에 섰다.

"희아, 엄호 준비해."

오르벨은 개 형태의 몬스터. 기민한 움직임을 보인다. 이런 놈들은 굉장히 상대하기가 까다롭다. 빠른 데다가 강력한 공격을 구사한다.

신희아가 대답했다.

"오케이. 멀티 실드!"

일종의 보호막이다. 아군의 몸에 둘러주는 실드. 방어구를 입은 효과를 가진다. 실드가 존재하는 동안은 대미지를 입지 않는다.

강민영은 미리 준비했다. 신희현이 뭐라고 말할지 알고 있었다. 분명히 '불 벽'을 만들라고 할 거다. 놈들이 단 한 마리도 빠져나가지 못하도록 말이다.

하지만 기다렸다. 개인 전투가 아닌 집단전에서는 리더의 역할이 그 무엇보다도 중요하다. 한 명의 생각대로 움직이는 것이 집단전에서 유리하다.

아니나 다를까. 신희현이 말했다.

"민영이, 불 벽 사용해. 높이 3미터, 반경은 가능한 한 크게."

불 벽은 높이 조절이 가능하다. 높이가 높아지면 높아질수록 반경이 줄어든다.

커거겅!

오르벨이 달려들었다.

붉은색 머리카락을 질끈 묶은 루시아가 라이플을 꺼내 들었다.

"어딜 감히."

탕!

총성과 함께.

오르벨 한 마리가 나뒹굴었다. 머리에 정확하게 맞았다.

깨갱!

오르벨 한 마리가 나뒹굴자 주변의 다른 오르벨들이 흥분했다. 침을 질질 흘리며 붉은색 눈을 부릅떴다. 신희현 파티를 향해 달려들었다.

그때, 거대한 덩치를 가진 남자 하나가 외쳤다.

"와라아아앗!"

목소리가 쩌렁쩌렁 울렸다. 오르벨 무리가 더더욱 흥분했다. 그 남자를 향해 달려들었다.

고구려의 플레이어들은 상황을 이해할 수 없었다.

"도대체……?"

저런 규모의 불 벽은 처음 본다. 어떻게 저럴 수가 있단 말인가. 높이가 3미터가 넘는데 그 반경이 30미터는 넘을 것 같았다. 저 정도 불 벽을 펼칠 수 있는 마법사가 존재했단 말인가.

"불 벽 때문에 안쪽 상황이 잘 안 보입니다."

"드론 띄워."

고구려는 최첨단 장비를 운용하고 있다. 던전 내에서 플레이어들은 총기 사용까지 합법화되어 있는 상태.(물론 라이선스를 따로 발급받아야 한다.)

드론이 하늘 높이 떴다.

"화면 전송해."

안쪽 상황이 보였다. 그때 와라아아앗! 하고 엄청나게 커다란 소리가 들려왔다.

"노이즈가 엄청납니다."

화면이 지지직거렸다. 보이지 않았다. 얼마간 시간이 지나고 나자 정상으로 돌아왔다. 화면 안쪽에는 거대한 남자 하나가 잡혔다.

곧이어 어떤 여자 하나가 외쳤다.

—솔로잉 실드!

노란색 빛이 소리를 지른 남자를 감쌌다. 오르벨 무리가 그 남자를 둘러싸고 공격을 감행했다.

남자가 외쳤다.

—덤벼라 이 개 같은 놈들아!

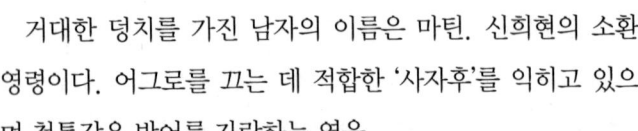

거대한 덩치를 가진 남자의 이름은 마틴. 신희현의 소환 영령이다. 어그로를 끄는 데 적합한 '사자후'를 익히고 있으며 철통같은 방어를 자랑하는 영웅.

그는 오르벨 무리의 어그로를 확실하게 잡았으며 오르벨 무리에게 둘러싸여 공격당하는 그 와중에도 자세에 전혀 흐트러짐이 없었다.

그의 무기, 십자가가 새겨진 거대한 방패를 휘둘렀다.

후웅—!

파공성이 일었다.

오르벨 한 마리가 방패에 얻어맞고 깨갱! 비명을 지르며 나뒹굴었다. 그사이, 다른 오르벨 한 마리가 마틴의 어깻죽지를 물었다. 그러나 노란빛 실드, 신희아의 솔로잉 실드를 뚫지 못했다.

마틴의 공격은 동작이 굉장히 컸다. 그사이 다른 오르벨이 마틴의 허벅지를 물었고, 또 다른 오르벨이 다른 허벅지를 물었다.

연속되는 공격에 실드가 무너지고 마틴의 몸에서 피가 흐르기 시작했다. 그때 대기하고 있던 신강철이 외쳤다.

"리커버리!"

마틴의 상처가 말끔하게 아물어 갔다. 오르벨에 의한 공격보다도 '리커버리'에 의한 회복 속도가 더 빨랐다.

그사이 신희아가 다시 솔로잉 실드를 펼쳤다.

루시아가 말했다.

"준비 완료됐습니다, 오빠."

루시아는 신희현과 교감으로 이어져 있다. 말을 할 필요가 없다. 그녀가 말을 한 이유는 강민영에게도 신호를 주기 위해서다. 강민영이 말했다.

"나는 5초 남았어."

그녀의 손이 쉴 새 없이 움직였다. 수인을 맺고 있는 거다. 입으로는 무언가를 계속해서 웅얼거렸다.

라비트는 일부러 소환하지 않았다. 지금은 필요하지 않다. 루시아도 일부러 공격을 시키지 않았다. 마틴이 감당할 수 있는 수준이다. 혼자서 오르벨 무리의 공격을 받아낼 만큼의 능력이, 마틴에게는 있었다.

하지만 마틴의 능력을 제대로 모르는 고구려의 플레이어들에게는 저 광경이 위험천만하게만 보였다.

"너, 너무 위험한 것 아닙니까?"

"도와야 하는 것 아닙니까?"

그들은 고구려의 에이스 팀 광개토 아닌가. 구경만 할 수는 없는 노릇이었다.

"어떻게 도와? 저 안을 파고들 수 있나?"

저들을 도우려면 불 벽을 뚫고 들어가야 하는데, 그러면 이쪽의 피해가 커질 수도 있었다.

광개토 팀의 팀장 '담덕'-그들은 본명이 아닌 가명을 사용했다. 대부분의 플레이어가 그랬다. 또 대다수의 플레이어가 폴리모프 포션을 사용했다-은 입술을 깨물었다.

'어쩌면 저들은 아무도 들어오지 못하게 하려고…… 불 벽을 쳤을 수도 있다.'

상식적으로 생각하면 불 벽을 치지 않는 게 맞다. 고구려의 팀원들과 힘을 합치는 게 이득이니까.

'왜 다른 플레이어들은 가만히 기다리고 있는 거지?'

마법사로 보이는 여자 하나가 뭔가 큰 마법을 준비하고 있는 것 같기는 한데, 마법 한 방으로 저 많은 오르벨을 쓸어버릴 수는 없는 노릇이다.

'저 탱커는 정말 엄청나다.'

그 어떤 탱커가 저 많은 오르벨의 시선을 한 번에 잡아끌 수 있단 말인가. 그리고 여태까지 단 한 번도 어그로가 튀지 않았다. 오르벨들은 저 남자만 공격하고 있는 중. 그래서 마법사가 마음 놓고 큰 마법을 준비하고 있는 것 아니겠는가.

그때 여자가 외쳤다.

-불 폭풍!

순식간에 불로 이루어진 폭풍이 불어닥치기 시작했다.

담덕이 황급히 외쳤다.

"거리를 더 벌려!"

뜨거웠다. 거리가 300미터 이상 떨어져 있음에도 불구하고. 열기가 던전 안을 녹여 버릴 것 같았다. 앞은 보이지도 않았다. 드론 역시 불 폭풍에 휘말려 없어져 버렸다. 이제는 안의 상황을 알 수 없었다.

새빨간 혀를 날름거리는 불의 폭풍이 오르벨을 덮쳤고.

"칸드 소환."

신희현이.

"에이드 커튼."

에이드 커튼을 사용했다.

쏴아아아아-!

마치 불로 이루어진 해일이 이 공간을 덮치는 것 같았다. 먼발치에서 지켜보던 담덕은 넋을 잃고 주시했다. 불로 이루어진 블랙홀이 있다면 저런 게 아닐까 싶었다.

"도대체 저게 무슨……."

아무래도 화염계 마법사들의 주력 스킬 불 폭풍인 것 같은데, 저런 위력의 불 폭풍은 본 적도 없다.

불 폭풍은 한참이나 주위를 뜨겁게 달구다가 사라졌다.

그사이, 신희현은 마력을 많이 잡아먹는 칸드를 역소환시키고 라비트를 불러냈다.

"이제는 이 몸의 차례요."

라비트가 쪼르르 달렸다.

"일격필…… 응?"

하지만 안타깝게도 라비트가 활약할 기회는 주어지지 않았다. 라비트는 조금 분한 듯했다.

"이 천둥여자야! 이것은 반칙이다!"

강민영이 마법을 준비하는 동안, 루시아도 큰 스킬을 준비했다. 루시아의 몸 뒤로 수십 자루의 작은 라이플이 허공에 둥둥 떠 있었다.

　루시아는 이 스킬의 이름을 '다격필살'이라 이름 지었다. 그간 라비트와 루시아는 나름대로의 라이벌 구도를 형성했다.

　"주인, 이것은 불합리하오! 천둥여자는 미리 나와서 저 이상한 기술을 준비하고 있었소! 내가 활약할 기회가 없었소."

　루시아가 무표정한 얼굴로 말했다.

　"플러스 12."

　그 말인즉, 자신이 라비트보다 12마리 더 잡았다는 소리다. 라비트의 털이 바짝 섰다. 신희현이 양평 치즈를 꺼내 줬다. 라비트의 털이 가라앉았다. 라비트는 양평 치즈를 오물거리며 맛있게 먹었다.

　"천둥여자, 다음번에는 기필코 내가 더 큰 성과를 올리고 말겠소."

　"알았어. 아이템들 수거해."

　그래도 인심 썼다.

　"양평 치즈는 다 먹고. 그다음에 천천히 수거하자고."

　엘렌이 영체화 상태를 풀었다. 그녀의 몸 앞쪽에는 커다란 백팩이 들려 있었다.(등 뒤에 날개가 있어서 등에는 매지 못했다.) 이것

은 아이템이다. 손에 닿은 물건을 가방 안으로 직접 전송할
수 있는 편리한 기능을 가지고 있다.

엘렌이 제일 신났다.

"제가 모두 수거하겠습니다. 라비트 영령은 식사를 마저
하십시오."

동영상이 공개됐다.

-그것은 불 폭풍이었나!
-그들의 정체는 무엇인가.

고구려에서도 눈에 불을 켜고 그들을 찾았다. 최용민은 화
면을 몇 번이나 돌려봤다.

"저럴 수가 있나……?"

그는 톱급의 플레이어다. 그런 그도 저런 불 폭풍이나 불
벽을 본 적이 없다. 김상목이 속 편한 소리를 해댔다.

"스페셜 클래스겠지."

"여태까지 우리의 눈에 단 한 번도 발각이 안 되고?"

"걔들이 뭐 죄인이냐? 발각되게?"

그런 건 아니다. 하지만 저 정도 실력을 갖고 있으면 눈에 띄게 마련이다. 던전 내에서 마주치는 경우도 꽤 될 거고.

"의도적으로 우리의 눈에 띄지 않았던 거겠지."

그런데 지금 와서는 모습을 드러냈다. 동영상을 찍고 있다는 것도 알고 있었을 거다.

"폴리모프 포션을 사용하고 있었을 거야. 생김새로 정체를 파악하긴 힘들고."

김상목이 말했다.

"얼른 찾아서 우리 팀 하면 좋겠다."

"그러려면 진즉에 고구려를 찾아왔겠지."

최용민은 생각에 잠겼다. 안에서 무슨 일이 있었는지는 확인하지 못했지만 오르벨이 전멸했다. 겨우 5명의 팀에게 말이다. 참고로 광개토의 팀원이 12명이었다.

'아주 용의주도한 놈이야.'

여태까지 모습을 드러내지 않았다. 플레이어는 현실에서 별로 힘이 없다. 특히 비전투 클래스는 더더욱 그렇다. 그것을 잘 알고 있는 플레이어인 것 같았다.

'그런데 왜 이제는 모습을 드러낸 거지?'

아무리 플레이어가 날고 기어도 현대 무기 앞에서는 힘을 과시할 수 없다.

'자신의 힘에 자신이 생긴 건가?'

지금 오르벨 사냥 동영상은 일파만파 퍼지고 있는 상태. 본 사람보다 보지 않은 사람보다 찾기가 더 어려울 정도로 그 동영상은 세계를 강타했다.

최용민이 말했다.

"일단 그 엄청난 덩치를 가진 남자…… 를 위주로 찾아보는 게 좋겠어."

폴리모프로 얼굴은 바꿀 수 있어도 체격 자체를 바꿀 수는 없으니까.

신희현이 말했다.

"마틴이 소환 영령인 것을 모르는 이상, 놈들은 헛짓만 하겠지."

"……예."

엘렌이 물었다.

"그런데 왜 이번에는 힘을 드러낸 것입니까?"

"이제 슬슬 때가 가까워 왔거든."

"……어떤 때 말입니까?"

"두고 보면 알아."

신희현이 머릿속으로 계획을 다시 점검했다.

'이 정도면 고구려에서도 눈에 불을 켜고 찾겠지.'

피식 웃었다. 신희현이 엘렌을 힐끗 쳐다봤다.

"확실히 날개 두 장보다는 네 장이 낫지?"

엘렌이 고개를 끄덕였다.

"좀 더 빠르게 날 수 있습니다."

그래서 기뻤다.

"아이템을 더 빨리 수거할 수 있습니다."

……응?

신희현은 황당해졌다.

그러라고 날개가 달려 있는 건 아닐 텐데.

어이없어서 웃고 말았다.

신희현이 자리에서 일어섰다. 엘렌이 물었다.

"어디 가십니까?"

"매우 매우 중요한 일 하러."

신희현이 말했다.

"아부지, 요즘 갑자기 가슴이 아프거나 그런 적 없어요?"

그의 아버지는 고개를 갸웃했다.

"글쎄?"

가끔 통증이 있었던 것 같기도 하고. 통증에 둔감한 편이라 잘 기억이 안 났다.

"일단 이거 드세요."

"이게 뭐냐?"

"엄청 좋은 아이템이에요."

신강철이 만든 포션이다. 질병에 큰 효과가 있다. 사실상 이 순간을 위해 신강철을 각성시키고 육성한 것 아니겠는가.

"아, 이게 그 좋다는 아이템이야?"

"네."

요즘 어떤 아이템은 굉장히 비싼 값으로 거래된다. 원래는 구할 수 없었던 희귀한 물품이 많이 풀렸다. '플레이'에 필요한 아이템은 물론이거니와 일상생활에서 필요한 아이템 역시 몸값이 많이 올랐다.

"됐다. 너나 많이 먹어라."

"저도 많이 있어요."

이럴 줄 알았다. 그래서 신강철로부터 치유 물약을 몇 개 더 받아 놨다.

"이거 보세요. 가족 숫자만큼 구해놨으니까 양보할 생각 일랑 말고 그냥 드세요. 어차피 많아요."

"……그런 거 필요 없는데. 아, 알았다. 알았어. 그냥 마시면 되는 거냐?"

신희현이 고개를 끄덕였다. 저걸 마시면 아마도 괜찮아질 거다. 그의 아버지가 치유 물약을 마셨다.

"뭔가 상쾌한 기분 같은 것이 드네."

"몸에 잘 받고 있다는 건가 봐요."

그리고 하나 더 건넸다.

"갑자기 가슴이 아프다거나 뭐 이상하면 이거 꼭 드세요."

"저번부터 왜 그러냐?"

1년 반인지, 2년 전인지 잘은 모르겠지만 그쯤에도 심장 검사를 받자면서 억지로 병원에 끌고 가지 않았던가.

"하여튼요."

"알았다."

신희현은 안도의 한숨을 내쉬었다. 과거와는 조금 달라졌다. 길잡이 홍경식이 죽었고 미친개 강유석의 클래스를 빼앗았다. 온갖 던전을 노블레스 등급으로 클리어했고 유용한 아이템들을 독차지했다. 다시 말하자면 아이템의 주인도 달라졌다는 말이다.

'슬슬 시작할 때가 됐지.'

조금 더 기다리기로 했다.

그리고 그날이 왔다.

서울 시내 한복판.

"저, 저게 뭐야?"

공간이 일렁거리기 시작했다. 마치 컴퓨터 속 화면이 일그러지는 것처럼 세상이 일그러졌다.

거기에는 사람도 있었다. 자신의 몸이 일그러지는 것처럼 보이는 것을 느낀 사람들이 비명을 지르며 그 공간에서 뛰쳐나왔다. 다행히 몸에 이상은 없었다.

"씨, 씨팔! 도대체 뭐야?"

그 일렁거리는 공간을 중심으로 하여 사람들이 빙 둘러섰다. 그리고 그들 중 플레이어들은 느꼈다.

'저건…… 던전 내에서 몬스터가 나타날 때와 비슷한 현상인데.'

애초에 자리를 지키고 있는 몬스터 말고 새로운 몬스터가 나타나거나 리젠될 때에 저러한 현상이 나타난다.

'하지만 여긴 던전이 아니야.'

던전이 아닌 실제 세상이다. 이곳에 몬스터가 나타날 리는 없지 않은가. 물론, 인터넷에서는 몬스터들을 목격했다는 말이 많기는 했지만 모두 헛소리로 치부되었었다.

"저, 저게 뭐지……?"

뭔가가 나타나기 시작했다.

"어디서 많이 본 듯한……."

실루엣이 낯이 익었다. 검은색, 윤기가 흐르는 털, 붉은 눈동자, 커다란 몸집.

"오, 오르벨이다!"

오르벨을 모르는 사람은 거의 없다. 의문의 팀이 오르벨을 도륙하는 그 영상이 전 세계를 강타했기 때문이다. 다른 몬스터는 몰라도 오르벨은 대부분 안다.

삽시간에 이곳은 혼란에 휩싸였다.

"비, 비켜!"

서로를 밀치고 짓밟으며 도망쳤다.

오르벨이 큰 소리로 짖었다.

컹컹!

그리고 주위를 한 번 둘러봤다. 붉은 눈동자가 사냥감을 찾았다. 그리고 이내 달렸다.

"씨팔!"

오르벨은 본능적으로 플레이어를 느끼는 듯했다. 남자 하나가 황급히 무기를 꺼내 들었다.

그리고 저도 모르게.

"크러쉬!"

몸이 반응했다. 그의 오른손에는 커다란 해머가 들려 있었다. 해머를 세차게 휘둘렀다.

사람들은 그것에 대해 놀랄 겨를이 없었다. 하지만 이곳에 침착함을 유지하고 있는 사람이 있었다면 이 현상에 굉장히 놀랐을 것이다.

보아하니 남자는 전투 클래스가 분명했다. 그런데 전투 클래스가 스킬명을 외쳤고 스킬을 사용했다. 해머가 푸른 궤적을 그리며 오르벨을 향해 날아들었다.

컹!

하지만 오르벨은 그 해머를 가볍게 피했다.

콰직!

그리고 잽싸게 달려들어 남자의 목을 물어뜯었다. 피가 터져 나왔다. 그 광경을 옆에서 지켜본 한 여자가 비명을 질렀다.

"꺄아아악!!!"

남자의 목덜미를 물어뜯은 오르벨은 그 비명을 지른 여자를 향해 달려들었다. 여자는 일반인인 듯했다. 저항조차 하지 못했다. 여자의 머리를 통째로 집어삼켰다. 한 명의 남자와 여자를 순식간에 살해한 오르벨은 다음 희생양을 찾았다.

삐잉— 삐잉— 삐잉—!

사이렌 소리를 울리며 황급히 경찰들이 몰려들었다. 그들조차도 어떻게 힘을 쓸 수가 없었다. 우왕좌왕하며 도망치는 시민들을 통제하는 것도 역부족이었다.

경계령이 떨어지고 근처 군부대에서 군인들까지 출동했다. 그런데 놀라운 사실이 하나 밝혀졌다.

기자들이 헬기를 타고 접근했다.

"던전 속 몬스터라 알려진 오르벨에 의하여 무고한 시민 20여 명이 사망하는 끔찍한 참사가 벌어졌으며……."

이것은 실제 상황이었다. 마치 영화처럼, 거리에는 피가 낭자했고 오르벨은 눈을 번득이며 눈에 보이는 사람들을 물어뜯었다.

"군경이 즉각 출동하여 대처하고는 있으나……."

이상했다. 고구려의 수장 최용민에게도 보고가 올라갔다.

"놈에게 무기가 통하지 않는다 합니다."

"우리도 권총은 써봤어."

"중화기도 소용없답니다."

"뭐라고……?"

중화기 정도 되면 오르벨을 죽일 수 있을 거라고 생각했다. 오르벨은 방어에 특화된 몬스터도 아니니까.

"공격 자체가 무효화되고 있습니다."

최용민은 생각에 잠겼다. 공격 자체가 무효화되고 있다니. 무슨 말도 안 되는 소리란 말인가. 몬스터가 아무리 강해도 피와 살로 이루어져 있다면, 총을 맞으면 죽는 게 당연한데.

"아예 피해를 입지 않고 있다고?"

"예, 마치…… 어떤 보호막 같은 것으로 보호받고 있는 것 같은 형상입니다."

신희현이 말했다.

"지금부터 나타나는 놈들은…… 여태까지와는 다를 거야."

신희아가 되물었다.

"무슨 뜻이야?"

"놈들에게는 무기가 통하지 않아."

"응?"

"놈들에게 저항할 수 있는 수단은 플레이어의 능력이 유일해."

"……."

신희아는 아무런 말도 하지 못했다. 신희현이 이런 사실을 어떻게 알고 있는지에 대해서는 이제 궁금하지도 않다. 그녀는 오빠의 이상한 능력(?)을 너무나 많이 경험했다. 그리고 오빠가 거짓말을 하지 않는다는 것도 안다.

"그럼 어떡해?"

"플레이어들이 연합해서 몬스터를 죽여야지."

신희아의 시선이 TV를 향했다. 어떤 기자가 헬기를 타고 상황을 중계하고 있었다.

신희현이 잠시 눈을 감았다.

'대격변이…… 온다.'

그때, 엘렌이 눈을 크게 떴다.

"저 거대한 철 덩어리는 무엇입니까?"

그녀는 처음 본다, 탱크라는 것을.

"몬스터입니까?"

신희현은 피식 웃었다.

"탱크라는 거야."

탱크고 뭐고 소용없을 거다. 세상에 나타난 몬스터에게 현대 무기는 소용이 없다.

"강철이랑 희아, 그리고 민영이는 일단 여기 모여 있어. 잠시 나 혼자 어디 좀 갔다 올 테니까."

상황은 계속 악화됐다.

－탱크의 공격조차도 소용이 없습니다! 오르벨이 더욱 분노하여 날뛰고 있습니다.

하지만 약간의 희망은 보였다.

－고구려 소속 플레이어들이 하나둘씩 집결하고 있습니다!

예전 던전에서 후퇴했던 '광개토'는 오르벨이 무섭기만 해서 도망친 건 아니다. 그들도 무리해서 사냥을 하려면 할 수는 있었을 거다.

다만, 그들은 안전이 최우선이다. 무리해서 싸우지는 않는다는 말이다. 그때 광개토 팀원이 12명이었었다. 이번에 모이고 있는 플레이어의 숫자는 약 30명.

거기에 더해 고구려 내에서도 최고의 실력자라 불리는 김상목이 있었다. 김상목은 쌍검을 사용하는 근접 전투 클래스. 공격을 담당하는 딜러다.

－현재까지 집결한 고구려의 플레이어 숫자는 약 30명! 근접 전투 클래스! 원거리 딜러! 탱커!

거기에 더해.

─막강한 힐러진과 버퍼로 이루어진 현재 최고라 불리는 플레이어들이 집결하고 있습니다!

고구려의 플레이어들이 오르벨을 에워쌌다. 김상목이 외쳤다.

"탱커진! 어그로부터 잡아!"

하나같이 커다란 덩치를 가진 플레이어들이 앞장섰다. 대부분 방패와 두꺼운 철갑으로 무장한 그들은 그 덩치에 맞지 않는 빠른 속도로 오르벨을 향해 달려들었다.

퍽!

한 남자가 방패로 오르벨의 머리를 후려쳤다.

─이, 이럴 수가! 탱크의 공격에도 꼼짝 않던 오르벨이 타격을 조금 입은 듯합니다!

오르벨이 사납게 짖었다. 그리고 남자를 공격하기 위해 달려들었다. 그때 또 다른 탱커가 오르벨을 공격했다. 탱커의 숫자는 약 6명. 6명이 연계하여 놈의 관심을 끌었다.

김상목에게 보고가 올라갔다.

"어그로가 완전히 잡힌 것 같습니다."

김상목이 명령을 내렸다.

"딜러진. 준비."

근거리 전투 계열의 딜러들이 각자의 병장기를 고쳐 쥐었다. 원거리 딜러보다는 근거리 딜러가 각광받고 있는 추세다. 원거리 딜러들은 일단 공격력이 약하다. 근거리 딜러에 비해서 안전하기는 하다는 장점은 있지만 말이다.

강력한 한 방을 자랑하는 마법사 계열이 있지만 그들은 혼자서는 아무것도 할 수 없다. 실력 있는 탱커진과 딜러진이 받쳐 줄 때, 빛을 발하는 것이 마법사 클래스다.

그러나 강민영처럼 대규모의, 강력한 마법을 구사할 수 있는 마법사는 거의 없다고 해도 과언이 아니었다.

"딜러 1진. 준비 완료됐습니다."

"놈은 움직임이 빠르니까 빠르게 치고 빠진다. 딴 곳으로 어그로 튀지 않게 조심하고."

김상목이 선두에 섰다. 그의 주 무기인 청검과 홍검이 푸른빛과 붉은빛으로 빛나기 시작했다.

-고구려 소속의 최고수들이 오르벨을 둘러싸고 공격하고 있습니다!

시간이 흘렀다.

−오르벨! 피를 흘리고 있습니다! 명동 시내를 공포에 물들게 만들었던 오르벨이! 고구려의 플레이어들에 의하여 죽어 가고 있습니다!

TV를 숨죽여 지켜보던 수많은 사람이 만세를 불렀다. 역시 고구려의 플레이어들은 뭐가 달라도 달랐다.

−드, 드디어! 오르벨이 쓰러졌습니다! 역시 고구려의 플레이어들입니다!

아비규환의 상황. 여기서 끝인 줄 알았다.
김상목이 뭔가를 발견했다.
"저게…… 뭐지?"
뭔가가 또 일렁거리고 있었다.

고구려 서울 본부 앞.
신희현이 말했다.
"최용민 씨를 뵙고 싶은데요."
"선약 있으십니까?"

"아뇨."

입구를 지키던 플레이어 하나가 말했다.

"지금 많이 바쁘십니다."

지금 난리가 났다. 서울 도심에 오르벨이 나타나서 말이다. 최용민은 지금 굉장히 바쁘다.

이런 상황, 예상했다. 최용민이 누구인가. 고구려를 이끌고 있는 수장 아니던가. 만나고 싶다고 해서 아무렇게나 만날 수는 없는 노릇이다.

"이번에 오르벨을 사냥한 빛의 성웅이라고 전하면 될 겁니다."

"아, 글쎄 안 된…… 예?"

플레이어가 두 눈을 부릅떴다. 무슨 소리란 말인가. 신희현이 피식 웃고서 다시 말했다.

"빛의 성웅이라고 전하면 될 겁니다."

믿을 수 없게도. 베일에 가려져 있던 빛의 성웅이 나타났다. 심지어 자신이 오르벨을 사냥했던 그 의문의 팀원이었다고 말을 하면서.

최용민이 인상을 찡그렸다.

"빛의 성웅?"

여태까지 스스로를 빛의 성웅이라고 칭한 사람은 많았다.

대부분 게임 방송 BJ였다. 하지만 최용민은 그들을 전혀 신경조차 쓰지 않았다. 신경 쓸 가치조차 없다고 판단하고 있었으니까. 그런데 갑자기 빛의 성웅이라니.

그때, 다른 보고가 올라왔다.

"공략의 방을 활성화하면 알 수 있다고 합니다."

"확실히."

공략의 방의 주인은 빛의 성웅이라 짐작된다. 빛의 성웅은 이곳에 플레이에 관한 공략을 뿌리고 그에 따라 이득을 얻는다.

공략의 마을은 모든 방을 일컬어 가장 활성화된 방이며 그곳의 땅 전부가 빛의 성웅 거니까. 우스갯소리로 빛의 성웅이 아니라 빛의 건물주라는 말이 오가고 있을 정도다.

최용민은 공략의 방을 활성화했다. 언제나 그렇듯 공략의 방 가이드 아놀드가 최용민을 반겼다.

"어서 와라. 좀 나은 좆밥 새끼야."

아놀드는 몇몇 플레이어의 얼굴을 기억하고 있다. 최용민은 무수히 많은 좆밥 새끼 중에서 좀 괜찮은 좆밥 새끼였다.

그리고, 아놀드가 말했다.

"듀얼 플레이 진행 중입니다, 형님."

보통 공략의 마을에 입성하기 전 아놀드와 조우하는 대기 시간은 플레이어마다 독립된 공간으로 운영된다. 하지만 플레이어의 특별한 요청이 있을 경우, 듀얼 플레이가 가능하다.

최용민이 뒤를 돌아봤다.

'형님?'

아놀드는 지위고하를 막론하고 모든 플레이어에게 '좆밥 새끼'라고 부른다. 이제 그건 하나의 트렌드이자 문화였다. 그 누구도 아놀드의 좆밥 새끼에 반항하지 않았다.

그런데 그 유명한 아놀드가 형님이라 부르는 사람이 나타났다?

아놀드가 말했다.

"인사해라, 좀 나은 좆밥 새끼야. 그 이름도 유명하신 빛의 성웅님이시다."

"……."

최용민은 남자를 쳐다봤다. 눈에 익었다.

"당신은……."

본 적이 있다. 분명 기억에 있었다.

누구지, 누구더라.

기억을 더듬어 봤다.

신희현이 먼저 손을 내밀었다.

"오랜만입니다."

"……."

약간의 시간이 흘렀다. 최용민은 그제야 떠올렸다.

"아……!"

아주 오래전 플레이를 처음 시작했을 때, 비명을 지르며 도망쳤던 플레이어가 하나 있었다.

그 플레이어가…… 빛의 성웅이었다고?

믿을 수 없었다.

"당신이 빛의 성웅입니까?"

"물론입니다. 시작의 방에서 초보인 척 연기를 했던 건 최용민 씨와 김상목 씨의 눈에 띄지 않기 위해서였습니다."

"어째서죠?"

신희현은 피식 웃었다.

"그땐 제가 힘이 없었기 때문이죠."

"……."

그렇다는 말은.

'지금은 충분한 힘을 가지고 있고, 그래서 모습을 드러냈다는 건가?'

그럴 확률이 높았다. 그동안 수많은 추측이 있었다. 모든 플레이어가 빛의 성웅에 대해서 궁금해했다. 하지만 그 누구도 빛의 성웅이 누군지 알 수 없었다.

그 말은 곧 빛의 성웅이 굉장히 주도면밀하며 자신의 정체를 적극적으로 숨겨왔다는 소리다. 조심성도 많다는 소리고.

'확실하다. 스스로의 힘에 자신이 생겼다.'

빛의 성웅의 행보는 결코 허접하지 않았다. 지금의 때를 마치 기다리고 있었던 듯, 퍼즐의 조각을 맞추듯 상황을 대비해 온 것처럼 보였다.

'허투루 대할 수 없어.'

최용민이 말을 이었다.

"당신이…… 오르벨 무리를 사냥했습니까?"

"그렇습니다. 뭐, 다행히 고구려에서도 오르벨을 잡은 모양이지만요."

최용민도 방금, 그러니까 공략의 방 입성 전에 겨우 알 수 있었다. 그런데 그것을 보지도 않고 알고 있다.

신희현이 씨익 웃었다.

"더 정확하게 말해줘요? 1명의 플레이어가 중상을 입었습니다. 힐러의 치유 가능 수준을 넘어섰습니다. 그리고 4명이 가벼운 부상을 입었으나 치료되었습니다. 그 외 사망자는 보이지 않는군요."

"그걸 어떻게 알고 계십니까?"

빛의 성웅은 분명 이 자리에 자신과 함께 있지 않은가. 외부와는 연락이 두절되어 있는 이 이상한 세계에 말이다.

"그걸 밝혀야 합니까?"

"그건 아닙니다만……."

신희현은 레벨 디텍터를 사용해 봤다.

[레벨: 147]

생각보다 많이 올랐다. 과거와 비교했을 때, 훨씬 빠른 성장이다. 공략을 푼 것이 효과가 제법 좋은 모양이었다.

'하기야.'

그러니까 오르벨을 아무런 피해 없이 잡아낼 수 있었던 거다.

"아참, 그리고 고구려가 약한 건 아닙니다. 던전에서 나타났던 오르벨보다 더 강력한 오르벨이었으니까요."

"……."

저건 또 어떻게 파악했단 말인가.

"던전 속 오르벨은 일반 오르벨입니다. 이번에 나타난 오르벨은 머리 한가운데에 하얀색 점이 있죠. 육안으로는 구분하기 힘들지만 뭐. 하여튼 다른 놈입니다. 편의상 하얀 점 오르벨이라고 하는데 문제는…….''

신희현이 잠시 뜸을 들였다. 아마도 최용민은 지금 머리를 굴리고 있을 거다.

'짱구 아무리 굴려봐야 나오는 답은 하나야.'

최용민은 자신을 잡을 수밖에 없을 거다. 그것이 자신에게 이득이 될 것을, 분명 알고 있을 테니까.

"이런, 벌써 시작된 모양이네요. 강력한 상위 개체가 나타난 모양입니다."

투 헤드 오르벨. 머리가 두 개 달린 오르벨이다. 대격변의 진정한 시작을 알리는 몬스터이기도 했다.

'과거 서울에서 3천 명을 죽였지.'

그랬던 놈이다.

"상위 개체…… 말입니까?"

"제 얼굴을 굳이 이곳에 와서 확인시킨 이유는…… 말하지 않아도 아시리라 짐작합니다. 많은 것을 요구하지는 않겠습니다. 저는 제 신상이 대중매체에 노출되는 것을 원치 않습니다."

각국 정보기관 등에서 아는 것은 상관없다. 애초에 숨길 생각도 없다. 숨길 수도 없고.

그게 문제가 아니다. 이제는 능력을 갖췄다. 앞으로 다가오는 대격변의 시대에서 자신의 힘은 세상을 좌지우지할 수 있을 거다.

적어도, 그 누구도 무력으로 자신을 어떻게 하려 들지는 않을 거라 생각했다. 제정신을 가진 사람 혹은 단체라면.

그러나 대중매체에 노출되는 건 다른 얘기다. 사생활이 사라진다. 간혹, 그것을 즐기는 플레이어도 있었지만 신희현은 그것을 원치 않았다.

어딜 가든 쏟아지는 부담스러운 시선, 사인을 해달라고 달려드는 사람들, 일거수일투족이 사람들 입방아에 오르는 것.

신희현이 별로 좋아하는 게 아니었다. 빛의 성웅에 관한 존재는 확실히 알리되, 신상은 노출하지 않는 것. 그게 지금 신희현의 생각이었다.

신희현이 말했다.

"아마도…… 큰 출혈이 있을 겁니다."

"……."

"하지만 저 역시 그러한 큰 출혈을 원하지는 않습니다."

"원하는 게 뭡니까?"

"대중매체의 철수. 그리고……."

확실히 해야 할 것이 있었다.

"빛의 성웅이 나타났음을 고구려가 공증해 주십시오."

"공증…… 말입니까?"

신희현이 다시 한 번 씨익 웃었다.

'위기에서의 영웅은 언제나 빛이 나는 법이지.'

그 생리를, 신희현은 너무나 잘 알고 있다. '빛의 성웅'이라는 이름이 빛나면 빛날수록 성웅의 증표는 업그레이드될 것이다.

신희현이 말을 이었다.

"앞으로 바빠질 겁니다. 몬스터가 출몰하면 시민을 신속하게 대피시켜야 할 겁니다. 대피 시설을 구축해야 할 것이고, 대처를 위한 매뉴얼 역시 만들어야겠죠. 현실 세상에서 플레이어들을 제대로 관리할 수 있는 방안도 마련되어야 할 것입니다."

최용민은 아무런 말도 하지 않았다. 도대체 어디까지 앞을 내다보고 있는 것인가.

'따지고 보면 고구려의 설립 역시도…… 빛의 성웅이 제안한 것이었지.'

새삼스레 이 남자의 정체가 궁금해졌다. 이런 생각들을 어떻게, 이렇게 앞서서 할 수 있단 말인가. 마치 미래를 내다보고 있는 것처럼.

신희현은 생각했다.

'놀랄 거 없어.'

이거 어차피.

'그냥 두면 네가 알아서 했을 거거든.'

사실 구체적인 방법 같은 거 신희현도 잘 모른다. 신희현은 경영이나 관리 쪽에는 별로 소질이 없다. 그걸 알기에 고구려를 최용민과 김상목에게 맡겨 버린 거다.

최용민의 눈빛이 느껴졌다. 이게 직접적인 이유인지는 알 수 없지만.

[성웅의 증표에 긍정적인 영향을 끼칩니다.]

라는 알림음이 들려왔다.

신희현은 바깥의 상황을 정확하게 파악하고 있었다.

아놀드와 쌍둥이 형제라고 해도 믿을 만큼 거대한 덩치를 가진 남자, 마틴이 말했다.

"잠깐 기다리라고 합니다. 금방 오신답니다."

강민영이 고개를 끄덕였다.

'원격 소환이라는 건 정말 좋은 것 같아.'

단순히 그게 좋은 게 아니다.

'역시 우리 오빠야.'

사실 원격 소환이 아니라, 원격 메롱이든 원격 욕설이든 상관은 없을 거다. 뭐가 됐든 강민영의 눈에는 신희현이 멋져 보일 테니까. 이른바 콩깍지 효과다.

하여튼 신희현은 원거리에서도 소환을 할 수 있는 '원격 소환' 스킬을 익혔다. 모든 소환 영령을 자신이 원하는 곳에 소환할 수 있는 건 아니었다.

원격 소환에는 '랜지 스톤'이라는 것이 필요하다. 일종의 소환 매개체인데, 1개의 랜지 스톤에 소환수 1개체를 입력할 수 있다. 그리고 랜지 스톤이 있는 곳에서 소환 절차가 가능해진다. 랜지 스톤은 현재 강민영이 보관하고 있다. 다시 말해, 강민영이 있는 곳에 마틴 소환이 가능하다는 소리다.

마틴이 강민영을 보고 말했다.

"오빠 믿지? 조금만 기다려."

그리고 머쓱해져서 말을 이었다.

"……라고 합니다, 형수님. 결단코 제가 한 말이 아닙니다."

강민영이 배시시 웃었다.

"알았어요."

당사자는 별로 신경도 안 쓰는데 제 발 저려서 저러고 있는 걸 보면 저 덩치가 귀엽다는 생각도 들었다.

그때, 목소리가 들렸다.

"이봐, 너희들은 뭐야?"

방금 오르벨 레이드를 성공리에 끝마친 플레이어 중 한 명이었다.

"저기 안 보여?"

뭔가 또 생겨날 것 같다. 지금 상황에서 뭔가가 나타나면 그것에 대처할 수 있는 건 자신들밖에 없었다.

"얼른 돌아가. 위험해. 뭐가 튀어나올지 모른다고."

마틴이 인상을 찡그렸다.

"이 좆밥 새끼가 뭐라는 거야?"

마치 아놀드와 같은 흉흉한 기세에 남자 플레이어는 흠칫 몸을 떨었다. 강민영이 손을 들어 마틴을 제지했다.

마틴에게 물었다. 원격 소환과 교감을 통해서 신희현은 이 상황을 전부 보고 있을 거다.

"오빠가 뭐래요?"

"몇 초만 기다리면 알아서 될 거라고 합니다."

마틴의 기세에 잠시 위축되었던 플레이어가 정신을 차렸다. 아무래도 저 덩치를 믿고 까부는 것 같다.

플레이는 덩치가 전부가 아닌데 말이다. 보아하니 탱커 계열 같은데, 저런 놈이 죽기 딱 좋다.

그때, 김상목이 말했다.

"야, 이정현!"

"예?"

"그만둬!"

김상목은 단짝, 아니, 불알친구 최용민의 말을 믿었다. 방금 최용민으로부터 연락이 왔다. 그 말의 사실 여부와는 상관없이 몸이 떨렸다.

'대박이다, 대박이야!'

김상목은 친구의 말을 믿었다.

"거기 팀, 빛의 성웅 팀이래!"

이곳에서 대기하던 엘렌의 날개 끝이 조금 구부러졌다. 아무리 들어도 저건 익숙해지지가 않는다. 하고많은 팀명 중 하필이면 '빛의 성웅 팀'이라니. 너무나 오그라드는 작명 아닌가.

플레이어들의 이목이 집중됐다.

"뭐라고요?"

김상목이 싱글벙글 웃었다.

"그 팀이…… 나타났다고. 빛의 성웅 팀!"

그리고 놀라운 사실을 하나 더 말해줬다.

"빛의 성웅이 여기로 오고 있다네? 용민이가 그랬어."

"부, 부마스터님. 저기 보십시오."

일렁거림이 점차 멎어들고 새로운 몬스터가 조금씩 모습을 드러내기 시작했다. 김상목도 눈을 크게 떴다.

"아씨. 아까도 셌는데…… 저놈 더 셀 거 같아."

마틴이 목을 돌렸다. 우드득 소리가 났다.

"우리 형님 오실 때까지 잘 부탁드립니다. 신강철 형님, 신희아 누님."

참고로 신강철은 10살이다. 그런 신강철이 형이다. 아주 놀랍게도 마틴의 나이는 이제 9살이란다.

하여튼 9살 어린이(?) 마틴이 육중한 근육을 뽐내며 방패를 들어 올렸다. 사자후를 내뱉었다.

"이놈!!!"

김상목을 비롯한 고구려의 플레이어들이 눈을 크게 떴다.

"저건……."

단 한 번의 외침으로 어그로를 완벽하게 잡아낸 것처럼 보였다. 이 장면, 어디서 많이 본 것 같다. 탱커라면 누구나가 선망해 마지않는 능력 아닌가.

두 개의 머리를 가진 오르벨이 모습을 완전히 드러냈다. 현실에 나타난 몬스터와 인간의 2차전이 시작됐다.

9장
투 헤드 오르벨

놀랍게도 9살에 불과한 마틴이 어그로를 확실히 잡았다.
플레이어들도 어느 정도 여유를 되찾았다.

-놀랍습니다! 동영상에 등장했던 것으로 예상되는 남자
가 단 한 번에 어그로를 완벽하게 잡아냈습니다!

헬기가 좀 더 투 헤드 오르벨에게 가까이 다가갔다. 오르
벨은 오로지 마틴만을 쳐다봤다. 마틴 이외의 다른 사람에게
는 일절 눈길조차 주지 않았다.

크르릉 콧김을 내뿜다가 이내 마틴을 향해 빠르게 달리기
시작했다.

플레이어들은 깜짝 놀랐다.

"빠, 빠르다!"

아까 나타났었던 오르벨보다 훨씬 빨랐다.

─빠, 빠릅니다! 거대한 덩치를 가진 플레이어가 방패로 막습니다!

쿵!

거대한 소리가 들렸다. 마틴이 오르벨의 몸통을 옆으로 후려쳤다. 마틴의 몸이 조금 밀렸다.

그때, 기자는 이상한 연락을 받았다. 취재를 중단하고 뒤로 빠지라는 거다. 항의를 해봤다. 국민의 알 권리를 위해서 그는 몸을 바쳐야 할 의무가 있었다. 하지만 상부는 요지부동이었다. 이유는 알 수 없었다. 고구려와 정부가 연계된 극비사항이라나 뭐라나.

'젠장.'

특종 하나 제대로 건지나 했는데. 보아하니 모든 기자에게 비슷한 명령이 떨어진 모양이었다. 다들 철수했다. 원래부터 민간인은 없었지만, 민간인과 대중매체를 전부 통제하는 것처럼 보였다. 군인들이 나서서 말이다.

'무슨 일이 벌어지고 있는 거야? 어째서?'

알 수 없었다. 어쩔 수 없이 그는 취재를 포기했다.

신희아가 뒤에서 서포트했다.

"솔로잉 실드!"

노란빛이 마틴을 덮었다. 고구려의 플레이어들은 의문을 가졌다.

"왜 어그로만 잡아놓고 공격은 하지 않는 걸까요?"

김상목이 기대에 가득 찬 얼굴로 말했다.

"빛의 성웅이 온다잖아."

빛의 성웅. 알려져 있는 게 없다. 누구보다도 빠르게 공략을 공유하고 플레이어들을 육성시키는 미지의 플레이어. 그가 나타나는 거다.

"형이면 좋겠다."

"……네?"

"그래야 형, 형하고 따라다니면서 맛있는 거 사달라고 하지."

"……."

플레이어들은 할 말을 잃었다. 상황과 도무지 어울리지 않는 저 태평한 태도에 혀를 내둘렀다가도, 이런 적이 한두 번이 아니라서 그냥 그러려니 했다. 세상 70억 인구 중 저런 종자(?)가 한 명쯤은 있을 법하지 않은가라고 애써 생각했다.

"클래스가 뭘까?"

알 수 없었다. 두고 보면 될 일이었다. 그때, 생쥐 모양의 작은 무언가가 튀어나왔다. 그냥 튀어나온 정도가 아니었다. 굉장히 빠르게 접근했다. 마치 공격이라도 하려는 것처럼 말이다.

깜짝 놀란 플레이어 하나가.

"으악!"

비명을 지르며 검을 뻗었다.

"이크. 조심하시오. 나는 적이 아니오."

덩치가 굉장히 큰 생쥐였다. 김상목의 눈이 가늘어졌다.

'오잉?'

그는 방금 봤다. 아주 가볍게 플레이어의 검을 흘려버리는 걸. 검끼리 부딪쳤음에도 불구하고 그 흔한 챙! 소리도 나지 않았다. 정말 쉽게 흘려버렸다.

비록 클래스는 다를지 몰라도 김상목 역시 쌍검을 사용한다. 한눈에 알아봤다.

'엄청난 실력자네.'

고개를 갸웃했다.

'설마 빛의 성웅?'

256 레벨업 어게인 3

에이, 설마. 아니겠지.

라고 생각을 했는데, 마틴이 외쳤다.

"형님! 어그로 확실히 잡아놨습니다!"

"수고하셨소! 내가 돕겠소!"

라비트가 빠르게 달렸다. 신희현이 교감을 통해 라비트에게 정보를 전달했다. 투 헤드 오르벨의 기준으로 왼쪽 이마 가운데에 있는 하얀 점. 그곳이 바로 급소다.

라비트가 하늘 높이 뛰어올랐다.

"일격필살!"

레이피어를 내질렀다.

푹!

레이피어가 하얀 점을 깊숙이 뚫었다. 오르벨은 마치 고양이가 괴로울 때 내는 것 같은, 하이톤의 괴성을 지르며 바닥을 몇 바퀴 굴렀다.

라비트는 레이피어로 자신의 수염을 살살 건드리며 제법 근엄한 태도로 말했다.

"개놈 주제에 고양이 새끼의 울음소리를 내다니! 추잡하도다!"

마틴이 다시 사자후를 내질렀다.

"놈! 네 상대는 나다!"

육중한 몸을 이끌고 쿵쿵대며 달려갔다. 당연한 말이지만,

이 모든 것은 신희현의 명령대로 움직이고 있는 거다. (라비트가 우쭐대고 있는 것은 제외하고.)

라비트보고 일대일로 싸우라면 못 싸울 것도 없지만, 가장 안전하고 확실한 방법으로 사냥을 하는 것이 신희현의 방식이었으니까.

바닥을 구르고 있는 투 헤드 오르벨의 몸통을 향해 마틴이 방패를 내려찍었다. 오르벨은 바닥을 구르던 와중 몸을 급격하게 틀었다. 마틴의 방패는 애꿎은 땅만 깊게 찔렀다.

마틴이 크게 외쳤다. 사자후다.

"이놈!!!"

라비트를 향해 분노의 눈빛을 보내던 오르벨이 다시금 마틴을 쳐다봤다. 입을 크게 벌리고 이빨을 드러냈다.

컹! 컹! 컹! 컹!

크게 짖었다. 꼬리와 털을 바짝 세웠다.

그 사이 라비트가 다시 검을 내질렀다.

"일격필살!"

다시 한 번, 놈은 약점을 허용했다. 오르벨이 다시 바닥을 구르며 괴로워했다. 김상목은 고개를 끄덕였다.

"역시 빛의 성웅이야."

아무래도 빛의 성웅은 저 생쥐 모양의 사람인 것 같았다. 검을 사용하는 솜씨를 보니 보통이 아니다.

"내가 한 5명쯤 있어도 못 이기겠는데?"

최소한의 움직임으로 빠르게 움직여 몬스터의 약점을 정확하게 공략하고 있었다. 저 작은 몸집은 기민한 움직임을 보여주는 최적의 요소.

"거의 뭐, 압도하는 수준이네."

투 헤드 오르벨을 직접 겪어보진 않아서 모르겠지만 아마도 일반 오르벨과 그렇게 큰 차이는 나지 않는 모양이었다.

원거리 딜러 중 한 명이 제안했다.

"저희도 도울까요? 저 탱커가 어그로만 완벽하게 잡아주면 저희가 돕는 것도 나쁘진 않을 것 같은데."

"흠."

분명 그랬다. 저 덩치는 어그로를 확실히 잡아준다. 그렇다면 이쪽의 딜러들도 나서서 함께 공격하는 것이 좋을 것 같았다.

"이마에 있는 하얀 점이 약점인 것이 틀림없습니다. 원거리 딜러들이 한번 공격해 보죠. 게다가…… 고구려가 가만히 있는 건 모양새가 너무 안 좋습니다."

뿐만 아니라 추후 아이템이 나왔을 때에 일정 부분 권리를 주장할 수 있을 거다. 김상목도 고개를 끄덕였다.

"그래."

먼발치서 상황을 지켜보고 있던 신희현이 씨익 웃었다. 차

림새를 보아하니, 아마도 원거리 딜러라 짐작되는 플레이어
들이 준비를 하고 있다.

'합리적인 선택을 하는 거지.'

뛰어난 탱커가 있으면 공격을 퍼붓는 게 맞다.

'일반적인 상황이라면.'

이왕에 빛의 성웅을 노출시키기로 했다. 물론 얼굴 자체는
비공개다. 폴리모프 물약을 마신 상태니까. 신희현뿐만 아니
라 모두가 물약을 먹었다.

하여튼 이왕에 빛의 성웅을 노출시키로 했으면.

'확실한 전력 차를 보이고……'

그와 더불어.

'압도적 우위를 선보여야겠지.'

그래야 앞으로의 행보에 도움이 될 거다. 저들은 분명 약
점을 파악했을 거고 그 약점을 공격할 거다.

"원딜 1진, 공격합니다."

총을 무기로 하는 2명이 무기를 꺼내 들었다. 정조준 했
다. 정확하게 약점을 맞추면 좋겠지만 약점을 못 맞춰도 된
다. 그 언저리를 맞추다 보면 언젠가는 정확하게 맞출 수 있
을 거다.

김상목이 명령을 내렸다.

"혹시 모르니까 탱커진, 확실히 대비하고."

"네!"

"공격해."

그때, 신희현의 명령을 받은 라비트가 크게 외쳤다.

"뭐 하는 겁니까!"

크와아앙!

투 헤드 오르벨의 붉은 눈이 더욱더 붉게 번쩍거렸다. 털이 곤두섰다.

투 헤드 오르벨의 왼쪽 머리에 있는 하얀 점은 분명한 약점이다. 하지만 오른쪽 머리는 얘기가 다르다. 오른쪽 하얀점은 약점이 아니다. 오히려 어그로를 튀게 만드는 요소다. 어그로가 제대로 잡히지 않는 상태로 만들어버린다. 이것을 일컬어 '폭주 상태'라고 부른다.

탱커가 제대로 컨트롤하지 못하는 상황.

투 헤드 오르벨이 자신을 공격한 플레이어들을 향해 달려가기 시작했다. 여태껏 자신을 괴롭혔던 라비트나 마틴은 안중에도 없었다. 오로지 자신의 민감한 부위를 건드린 것에 대한 복수를 하겠다는 듯 빠르게 뛰었다.

"오, 오르벨이 접근합니다!"

"탱커진! 준비!"

김상목은 당황하지는 않았다. 그 역시 최상위급 플레이어다.

"플랜 C. 포메이션 설정해!"

그의 명령에 따라 플레이어들이 일사분란하게 움직였다. 신희현은 고개를 끄덕였다.

'제법 훈련이 잘되어 있네.'

그래 봤자 투 헤드 오르벨과 단독으로 싸우기는 힘들겠지만.

그래도 모양새를 보아하니 단시간에 사망자가 나올 것 같지는 않았다. 방어 진형을 잘 짰다. 딜러진은 좀 빈약해 보이지만 탱커진은 제법 괜찮은 것 같았다.

'한번 볼까, 고구려의 실력을.'

투 헤드 오르벨. 생각보다 약한 개체인 줄 알았다. 덩치와 생쥐가 상대하는 걸 보니 그랬다. 겨우 두 명의 플레이어(?)가 거의 압도하다시피 했었다.

"젠장!"

하지만 막상 맞닥뜨린 투 헤드 오르벨의 능력은 어마어마했다.

김상목이 세 걸음이나 뒤로 밀려서 엉덩방아를 찧었다.

그는 딜러임과 동시에 탱커다. 쌍검을 사용하는데, 두 역할을 동시에 감당할 수 있는 클래스다. 이것은 장점이 될 수도 있고 단점이 될 수도 있는데, 이번에는 장점으로 작용했다.

김상목의 가슴팍에서 피가 흘러나왔다.

"힐!"

갑옷이 뚫렸다. 세 갈래로 찢어졌다. 하지만 깊은 상처를 입지는 않았다. 플레이어 하나가 욕설을 내뱉었다.

"이런 씨팔!"

뭐 이딴 놈이 다 있나 싶다. 직접 경험하고 있는 이놈은 너무나 강했다.

신희현은 목을 한 바퀴 돌렸다. 너무 시간을 오래 끌면 안 된다. 일부러 이들을 위험에 몰아넣은 것 같은 모양새를 만들면 안 좋다. 플레이어들이 투 헤드 오르벨의 위력을 몸소 경험만 해보면 된다.

'경험은 충분히 했겠지.'

무대는 이제 완벽하게 마련되었다.

건물 사이에 몸을 숨기고 있던 신희현이 모습을 드러냈다. 앞으로 걸어갔다. 라비트와 마틴을 역소환했다.

'후우.'

심호흡을 깊게 했다.

'이거 한 방이면 체력 방전되는데.'

체력이 완전히 고갈되는 느낌. 정말 별로다. 내 팔과 다리가 내 팔과 다리가 아닌 것 같은 느낌. 아프진 않은데 괴로운 느낌이다. 신희현은 그 무력한 느낌을 굉장히 싫어한다.

하지만 지금은 그런 것을 가릴 계제가 아니었다. 원래 자잘한 것 여러 방보다 임팩트 있는 한 방이 크게 와 닿는 법이다.

"칸드 소환."

칸드를 소환했다. 어지간하면 단독으로 사용하지 않는다. 칸드는 보통 보조 수단으로 사용했다. 체력 소모가 어마어마하니까.

푸른색 마법진이 신희현의 발밑에 생겨났다. 에메랄드빛 바람이 불어닥쳤다. 에메랄드빛 바람은 이윽고 사람의 형상을 갖췄다.

"흠, 정말인가?"

칸드가 씨익 웃었다.

"간만에 힘을 꺼내 쓰는군."

그러고서 어깨를 으쓱했다.

"그래 봤자 아직 내 기준에는 미달이지만. 뭐, 인정은 한다. 라이나 님의 선택을 받은 놈이니까. 아직은 약해빠졌지만 언젠가는 강해지겠지."

한숨을 내쉬었다. 신희현의 생각을 교감을 통해 읽었다.

"케르베르스 정도 되는 놈도 아니고 저런 미물에 내가 직접 공격을 가할 줄이야. 아, 알았다. 알았어. 공격하면 되잖아."

에메랄드빛 바람이 세차게 불었다. 한 점으로 모이는가 싶더니 그 점은 구체가 되어 맹렬히 회전했다.

구체가 점점 길어졌다. 소용돌이치는 바람으로 이루어진, 길이 약 6미터의 기다란 창이 생성됐다.

[스킬, 바람 창을 사용합니다.]

정령왕 칸드의 공격 스킬, 바람 창이 투 헤드 오르벨의 머리를 향해 날아갔다. 이어진 상황에 김상목은 입을 쩍 벌렸다.

"마, 말도 안 돼……."

10장
영역 선포

에메랄드빛 바람이 맹렬하게 회전하며 생성해 낸 기다란 바람 창이 투 헤드 오르벨을 향해 날아들었다.

　마치 주변의 모든 것을 다 부숴 버릴 것만 같은 흉흉한 기세에 플레이어 몇이 그 자리에서 넘어졌다.

　레이저포처럼 일직선으로 날아간 그것은 오르벨의 왼쪽 머리를 정확하게 노리고 있었다.

　신희현은 후들후들 떨리는 다리를 부여잡았다. 칸드는 다 좋은데, 소환하고 나면 체력이 많이 딸린다. 그래도 기분이 나쁘지는 않았다.

　'놈의 왼쪽 머리는…… 약점이면서 약점이 아닌 곳이야.'

　어설프게 공략하면 어그로를 끌 수 없는 흥분 상태에 빠지게 된다. 하지만 제대로 공격하면 왼쪽 머리에 있는 하얀 점이야말로 진정한 약점이라 할 수 있다.

김상목이 중얼거렸다.

"이럴 수가……."

분명히 투 헤드 오르벨이었는데, 이제는 원 헤드 오르벨이 됐다. 머리가 하나밖에 남지 않았다. 왼쪽 머리가 사라졌다. 점을 공략한 게 아니라 아예 머리를 통째로 날려 버린 거다.

신희현이 피식 웃었다.

'이 정도일 줄은 나도 몰랐네.'

에메랄드빛이었던 바람 창은 어느새 붉은빛을 띠고 있었다.

"칸드 역소환."

그와 동시에 투 헤드 오르벨의 머리를 뚫어버렸던 바람 창은 그 자리에서 사라졌다.

신강철이 폴짝폴짝 뛰었다.

"역시 형이야."

신희아는 부럽다는 듯 오빠를 쳐다봤다.

"나도 딜러 하고 싶다."

그러고는 문득 깨달았다.

아, 우리 오빠는 딜러 아니지. 길잡이지.(지금은 소환사로서의 힘을 썼지만.)

신희현은 기분이 무척 좋았다. 투 헤드 오르벨을 아무런 피해도 없이 잡았다. 주위를 둘러봤다.

'3,000명이 죽었던 곳인데.'

다친 사람은 있는데 죽은 사람은 없었다.

'감회가 새롭네.'

솔직히 말해서 대격변을 온전히 겪었던 그에게 있어서 3,000명이 죽든 말든 그런 건 크게 중요하지 않았다.

신희아의 목소리가 들려왔다.

"오빠, 나도 전투 클래스 시켜주면 안 돼?"

저 목소리를 계속 들을 수 있게 됐다. 원래 그 3,000명 안에 신희아가 있었다. 신희아는 원래 이 자리에서 죽었다. 친구들과 함께 놀러왔었는데, 그때 휘말려 죽었다.

투 헤드 오르벨에게 죽은 건 아니었다. 신희아의 사인은 압사였다. 투 헤드 오르벨과는 제법 먼 거리에서 시신이 발견됐다. 도망치는 사람들에게 깔려서 죽었었다.

'네가 살았어.'

신희아를 살렸다. 아버지도 살렸다. 아주 잠깐, 감상에 젖었다. 이대로면 최후의 보상 HAN에 이르는 것까지 그렇게 어렵지 않을 수도 있겠다는 생각이 들었다.

그때, 김상묵의 목소리가 들려왔다.

"그쪽이 그 유명한 빛의 성웅 님입니까?"

빛의 성웅의 등장에 전 세계가 떠들썩해졌다. 지금 세상에서 빛의 성웅보다 유명한 사람은 없다고 해도 과언이 아니었다.

모든 기사가 '빛의 성웅'에 관한 내용이었다.

−빛의 성웅의 등장.
−투 헤드 오르벨 단독 사냥.

하지만 빛의 성웅의 정체에 대해서는 밝혀진 바가 없었다. 누리꾼들이 많은 추측을 내놓았다.

−고구려의 실질적 1인자일 가능성이 높지 않을까?
−그렇기 때문에 언론을 철수시킬 힘이 있었을 거다. 그왜. 저격수나 특공대 군인들처럼 중요한 전력의 얼굴은 외부에 노출시키지 않잖아.
−어쩌면 고구려 내의 특수부대일수도 있다.

온갖 추측이 난무하는 가운데, 신희현은 최용민과 김상목 두 사람과 자리를 가졌다.

신희현이 먼저 말했다.

"만나서 반갑습니다."

김상목은 신희현을 기억하지 못했다. 과거, 시작의 방에서 마주쳤었던 기억을 완전히 잊었다.

신희현이 말을 이었다.

"최용민 씨라면 알고 있을 겁니다. 제가 이 시점에서 정체를 드러낸 이유를, 그리고 굳이 고구려와 접촉한 이유를 말이죠."

"……."

최용민은 말을 아꼈다. 그냥 내버려 두면 빛의 성웅이 알아서 얘기를 할 테니까.

"지금의 추세로 보면…… 앞으로 이 세상에 몬스터가 나타나게 될 겁니다. 사실 이전부터 몬스터는 계속 등장해 왔죠. 그렇지 않습니까?"

"그렇습니다."

분명히 그랬다. 인간에게 피해를 입히지 않는 선에서, 돌연변이로 추정되는 동물들이 가끔 등장하곤 했었다. 최용민은 그것들이 몬스터임을 이미 알고 있었다.

"일정 수준 이상의 몬스터에게 현대 무기는 통하지 않습니다. 플레이어의 전력이 곧 국력이 될 겁니다."

김상목이 '에이, 설마요' 하고 말을 끊었다.

"아무리 그래도 플레이어가 전력이라뇨. 그건 좀…… 너무 간 거 아니에요?"

최용민은 생각했다.

'단순히 투 헤드 오르벨이었다면…… 저자의 말이 과장일 수 있다. 하지만…….'

신희현이 말을 이었다.

"투 헤드 오르벨이 끝이라고 생각하는 건 아니겠죠? 저는 투 헤드 오르벨보다 훨씬 더 강력한 개체를 많이 만나 봤습니다."

"……."

그건 예상했다. 세상에 공략을 풀고 있는 장본인이다.

"그런 놈들이 세상에 나타나게 되면…… 군대로는 답이 없습니다."

실제로 과거, 투 헤드 오르벨은 서울에서만 3천 명을 죽였다.

한국에서 최악의 사태는 발리어스가 나타났을 때였다. 발리어스가 나타났을 때, 그가 자동 소멸하게 될 때까지 700만 명이 몰살당했다. 아무도 발리어스를 막지 못했었다.

"플레이어가 곧 전략이고 전력이 될 겁니다. 다만……."

신희현이 잠시 뜸을 들였다.

"군대는 몬스터를 제압할 수 없지만 플레이어는 제압할 수 있겠죠."

최용민이 고개를 끄덕였다.

"그렇기 때문에 빛의 성웅께서 고구려를 찾은 것이군요."

최용민은 앞으로 나가야 할 길을 확실히 알았다. 빛의 성웅. 난 자는 난 자였다. 빛의 성웅과의 대화를 통해 대비해야 할 것들을 떠올릴 수 있었다.

신희현은 속으로 말해줬다.

'가만히 내버려 뒀어도 네가 알아서 했겠지만.'

플레이어들을 위한 법 조항을 개정하고 플레이어들을 보호하는 역할을 하게 될 거다.

플레이어들이 정부에 귀속되면 답이 없다. 그런 사례도 있었다.

이용만 당하겠지.

정치인들이 벌이는 체스 판의 말이 되어서 말이다.

최용민은 빛의 성웅에 대한 평가를 다시 내렸다.

'엄청난 무력과 전력. 거기에…… 비상한 두뇌까지 갖추고 있다.'

사실 신희현이 한 건 별로 없다. 그냥 화두만 몇 개 던져 줬을 뿐이다. 신희현은 정치 같은 거 잘 모른다. 그냥 미래에 있을 일들을 뭉뚱그려서 대충 말했을 뿐.

나머지는 머리 좋은 최용민이 알아서 해석하고 알아서 적용했다. 신희현의 입장에서는 그냥 이득이다.

'등장한 시점을 놓치지 않고 교묘하게 등장했고, 완벽에 가까운 타이밍에 나타났다. 세계를 뜨겁게 달궜고 거기에 엄청난 무력을 선보였다. 뿐만 아니라 비밀스러움을 유지하면서 신비감을 드높이고 있어. 그러면서도 우리와 접촉하여 우리의 방향을 실질적으로 지도하고 있다.'

범상치 않은 플레이어였다. 최용민이 물었다.

"그렇다면 빛의 성웅께서 원하시는 것은 무엇입니까?"

신희현이 대답했다.

"다른 사람의 방해를 받지 않고 플레이에 집중할 수 있으면 좋겠습니다. 그 외에 다른 것이 뭐가 필요하겠습니까?"

"……."

"그냥 놔뒀으면 분명 큰 인명 피해가 발생했을 것입니다. 저는 그것을 두고 보지 못했을 뿐입니다."

물론 아니다. 신희현은 그 정도 영웅은 못 된다. 최용민역시 신희현의 말을 곧이곧대로 듣지는 않았다.

'명분까지 완벽하게 잡았군.'

신희현의 귓가에 알림이 들려왔다.

[외부의 힘이 개입합니다.]

['불굴의 의지+4'가 저항합니다.]

신희현은 아무도 모르게 피식 웃었다.

'드디어 사용했네.'

최용민이 고유 스킬 '간파'를 사용한 것이 틀림없었다. '불굴의 의지'를 조정하여 저항하지 않도록 했다.

최용민은 뜨끔했다. 뭔가 시간이 조금 오래 걸렸다. 그래서 잘못된 것이 아닌가 싶었는데, 이내 알림이 들려왔다.

[TRUE.]

그는 간파를 가지고 있다. 상대가 거짓말을 하는지, 거짓말을 하지 않는지. 알아낼 수 있다.

'저 말이 진실이라고?'

신희현의 말이 이어졌다.

"저는 사람들을 구하고 싶습니다. 사람들이 죽는 걸 두고 볼 수 없었습니다."

[TRUE.]

"그래서 움직였습니다. 죽어갈 사람을 구하기 위해서."

[TRUE.]

신희현은 거짓을 말하지 않았다. 그는 지금 이 순간 신희
아와 아버지를 떠올리고 있는 중이다. 그는 분명 가족들을
살리고 싶었다.

"앞으로도 제가 사랑하는 사람들을 위하여 제 몸을 아끼지
않을 것입니다."

[TRUE.]

민영이도 구해야 했다. 대격변 때 죽었던 신희아는 살렸
다. 아탄티아 던전에서 죽었던 강민영도 살려야 했다.

"그들을 살리기 위해…… 저는 존재하는 것입니다."

[TRUE.]

영체화 상태를 유지하던 엘렌의 날개 끝이 구부러졌다.

'신희현 플레이어…….'

언제부터 저렇게 뻔뻔했는지 생각해 보니까, 처음부터 뻔
뻔했던 것 같다. 초면에 소변을 보라고 명령을 내렸던 파트
너니까.

김상목은 감동받았다.

"와, 이 형 마인드 개멋있네."

빛의 성웅에 대한 정보를 흘린 뒤, 최근에는 알림이 자주 들린다. 성웅의 조건을 만족했으며 성웅의 증표에 긍정적인 영향을 끼친다는 알림 말이다.

김상목이 호들갑을 떨었다.

"저 아무래도 빛의 성웅님 빠돌이 될 거 같아요."

실제로 눈에는 눈물까지 글썽거렸다. 하필이면 이 타이밍에 알림이 또 들렸다.

[성웅의 조건을 만족했습니다.]

[성웅의 증표에 긍정적인 영향을 끼칩니다.]

엘렌의 날개가 계속 구부러졌다. 네 개의 날개는 마치 불에 올려진 오징어 같았다.

솔직히 이렇게 생각했다.

'도망치고 싶다.'

그때, 최용민이 마지막으로 물었다. 이제 간파의 유효 시간이 끝난다.

"당신의 클래스는 무엇입니까?"

말해줄 것 같지 않았는데 냉큼 대답이 나왔다.

"길잡이요."

"……예?"

황당했다. 길잡이라고? 무슨 말도 안 되는 소리를 하는 겁니까. 묻고 싶었는데.

[TRUE.]

더 황당해졌다.
'길잡이라고……?'
쐐기를 박듯, 신희현이 다시 말했다.
"길잡이요. 뭐가 잘못됐습니까?"

[TRUE.]

[스킬, 간파의 유효 시간이 종료되었습니다.]

……뭔가 속는 기분이 들었다.

신희현은 던전들에 대해서 전부 기억하고 있는 건 아니다. 앞으로 던전은 많이 생겨나게 된다. 대격변의 시작을 알리는 투 헤드 오르벨이 나타났으니 세계는 아주 빠르게 변화하기 시작할 거다.

그 모든 상황과 던전, 그리고 공략법을 전부 기억하고 있는 건 아니었다.

그럼에도 불구하고 몇몇 던전은 특별히 기억하고 있다. 지금 이 시기의 중요한 던전이라면, 대전에 생기는 '플로리아 던전'이었다.

신희현은 잠시 생각에 빠졌다.

'플로리아 던전이 어떤 곳이더라.'

그 당시, 그는 플로리아 던전 원정에 참여하지 않았었다. 그런 실력도 안 되었고.

그래도 들은 기억이 있다. 플로리아 던전은 인스턴트 던전이다. 클리어와 동시에 사라진다.

'8명 중…… 1명만 살아서 돌아왔었지.'

8명이 클리어를 할 수 있는 던전이다. 그곳은 클리어해야만 했다. 그래야 '퓨리어스'를 얻을 수 있을 테니까.

'8명이라.'

4명은 이미 정해져 있다. 신희현, 신강철, 신희아, 강민영.

그리고 나머지 4명은 엄선해야만 했다.

'누가 좋을까.'

고구려와 협의하기로 했다. 최용민에게는 '간파'가 있다. 괜찮은 플레이어들을 고르는 데 큰 도움을 줄 수 있을 거다.

얼마 뒤.

신희현은 제자리에서 꿈쩍도 하지 못했다. 강민영이 고개를 갸웃했다.

"오빠?"

신희현이 이상했다.

"……왜 그래? 무슨 일 있어?"

신희현의 옆구리를 콕콕 찔러봤다. 원래대로면 귀엽다면서 뽀뽀를 해줬을 텐데, 오늘은 이상했다.

신희현의 눈이 한 장의 서류를 뚫어져라 쳐다보고 있었다.

'이놈은…….'

신희현은 흠칫 몸을 떨었다.

'강유석……!'

강유석이었다. 이상하다. 아직 모습을 드러낼 때가 아닐 텐데.

'하기야 원래의 클래스를 내가 빼앗았으니.'

따지고 보면 이 클래스는 사기에 가까운 클래스다. 다른 건 둘째 치고서라도 라비트를 소환할 수 있다는 것만으로도 이미 사기다.

참고로 라비트와 그의 집안은 양평 치즈 무한 구입을 선언하였으며 신희현은 양평 치즈 공장을 인수하여 200억 인구를 상대로 장사를 하고 있다.

지구 전체보다도 더 커다란 시장인데, 그 시장에서 각별히 원하는 물품이 바로 '양평 치즈'. 말 그대로 대박 상품이었다. 신희현이 인수한 양평 치즈는 굉장히 빠른 속도로 성장 중이었다.

어쨌거나 강유석은 지금을 기준으로 하면 약 6년쯤 뒤에 혜성처럼 나타나서 활약하다가 7년 뒤부터 미친놈 행세를 하고 다니게 된다. 적어도 지금은 강유석이 고구려에서 활동을 하고 있을 때가 아니라는 소리다.

'클래스가……'

또 눈을 크게 떴다. 엘렌이 말했다.

"신희현 플레이어, 많이 놀란 것 같습니다."

신희현이 이렇게 놀라는 거, 오랜만에 본다.

'소환사라고?'

팔뚝에 소름이 돋았다. 뭘까. 이것은 우연의 일치인 걸까.

강유석의 본래 클래스를 빼앗았음에도 불구하고 강유석은 또다시 소환사로 각성했다.

'확인해 볼 필요가 있겠어.'

신희현은 고구려의 추천을 받아서 플레이어들을 골랐다.

새로운 던전을 함께 공략하기 위해서 말이다.

"모두의 생존을 보장할 수는 없습니다."

최용민이 대답했다.

"그 정도는 알고 있습니다."

원래 던전이라는 건 목숨을 걸고 하는 거다. 이번에는 빛의 성웅이 함께하고 있는 던전. 지원자가 넘치고 넘쳤다.

신희현은 피식 웃었다.

'뭐, 실수만 하지 않는다면 아무도 죽지는 않겠지.'

정예 멤버들로 골랐다. 전부가 기억에 있는 플레이어다. 과거에 꽤나 이름을 날렸던 플레이어들.

일단 소환사인 강유석은 논외로 치고, 근거리 딜러인 박승희와 힐러인 서지석, 탱커인 최보성 셋 다 이명을 가지고 있었던 플레이어다.

근거리 딜러 박승희는 '구미호'라고 불렸었다. 굉장히 민첩한 몸놀림으로 상대의 약점을 급습하는 형태의 근거리 딜러였는데, 정확한 클래스는 밝혀지지 않았다. 다만 '어쌔신'과 관련된 진명을 가지고 있었을 거라 추측됐었다.

'구미호라.'

함께 클리어를 진행했던 적은 없지만 구미호의 이름은 꽤 유명했다.

'그렇게 남자를 잘 홀렸다지.'

피식 웃었다. 그렇게 요물이란다. 상위급의 내로라하는 수많은 플레이어가 그녀에게 홀렸거나 잠자리를 가진 적이 있다는 소문이 있었다. 어느 정도 신빙성이 있는 소문 말이다.

'그리고 서지석이라.'

이명은 '닥터'.

'서지석이랑 함께하는 건 오랜만이네.'

서지석은 힐러로 활동했었다. 지금의 클래스 역시 힐러였다. 예전과 같은 실력은 아니겠지만 분명 큰 도움이 될 거다.

힐러인 신강철 역시 서지석을 보고 많이 배울 수 있을 거다. 레벨은 강철이 높을지 몰라도 스킬의 활용 능력이나 센스는 서지석이 훨씬 더 뛰어날 테니까.

'서지석이야…… 이기주의자이기는 해도, 꽤나 도움이 될 거고.'

거기에 더해 최보성.

'의리에 죽고 의리에 죽는다 했지.'

신희현은 최보성을 제법 좋아했었다. 역시 실제로 만난 적은 없지만, 최보성은 팀원들을 절대로 배신하지 않는 것으로 유명했다.

실제로 팀원들을 위해 몇 번이나 목숨을 걸었으며, 어느 던전인가 정확하게 기억은 안 나지만 이후 팀원들을 구하기 위해 몸을 던졌다가 전사했다고 알려져 있었다.

이명은 '해병'. 그가 해병대 출신임이 알려지면서 붙게 된 이명이었다.

'최보성도 걱정할 필요는 없어.'

박승희 역시 그다지 걱정은 안 됐다. 지금 그에게 있어서 여자는 강민영 하나밖에 없었으니까. 루시아와 엘렌 같은 미녀에게 둘러싸여 있어도 눈 하나 깜빡이지 않고 있다.

'적어도 루시아나 엘렌보다 예쁘진 않겠지.'

솔직히 말해서 그 둘보다 예쁜 여자는 본 기억이 거의 없다. 강민영을 제외하고 말이다.

'문제는 강유석.'

강유석이다. 클래스 역시 소환사. 이 상황을 어떻게 설명해야 할지.

'일단 만나 봐야 정확한 사이즈가 나오겠어.'

신희현은 자신의 정체를 완전히 감출 생각은 없었다. 상위급 플레이어와 고위 관리들에게 정도는 정체를 공개하는 것이 오히려 나았다. 여러 가지 귀찮은 상황을 피할 수 있을 테니까.

폴리모프 물약을 복용하지 않은 상태로 플레이어들과 만

났다.

"안녕하세요? 강유석이라고 합니…… 어라?"

강유석이 눈을 크게 떴다.

"다, 당신은……!"

그러더니 신희현의 손을 덥석 잡았다.

"제 은인…… 이시군요."

……응?

신희현은 고개를 갸웃했다. 무슨 소리인가 했더니, 신희현이 매월 30만 원씩 보내 주는 것으로 어느 정도 생활이 안정됐고 덕분에 플레이에 집중할 수 있었단다.

만약 이게 없었다면 아르바이트를 계속 했어야 할 거고, 그렇다면 이 위치까지 오르지 못했을 거란다.

'까먹고 있었네.'

매월 30만 원 보내 주는 걸 잊고 있었다. 자동 이체를 해놔서 신경을 안 쓰고 있었던 거다.

"솔직히 한두 달 보내 주시고 끊어버릴 줄 알았습니다."

'크다면 크고 작다면 작은 돈이지만, 저는 그것을 발판 삼아 성장할 수 있었습니다. 누군지 알았다면 진즉에 찾아뵙고 인사를 드렸을 텐데 그러지 못해 죄송합니다'라며 사과했다.

"아……."

그 말을 옆에서 듣고 있던 박승희와 서지석은 다시 한 번 빛의 성웅을 쳐다봤다. 박승희의 눈이 반달을 그렸다.

'그런 사람이라고?'

빛의 성웅. 성웅이라고 말만 들었지, 보아하니 정말로 영웅이 맞는 것 같기는 했다.

하나를 보면 열을 안다고 했다.

'평소에도 선행을 하고 있는 것이 틀림없어. 어쩌면 상위급 플레이어들 중 빛의 성웅의 도움을 받은 플레이어가 많을지도 몰라.'

박승희는 확신했다. 강유석만 도움을 받은 게 아닐 것이다. 잠재력이 있는 플레이어들을 도왔을 거다. 우연스레 강유석만 빛의 성웅을 만나게 됐을 뿐. 숨겨진 인연이 훨씬 많을 거다.

'역시 빛의 성웅.'

물론 오해다. 하나를 알면 열을 안다는 말이 틀렸다고는 할 수 없지만, 그 하나가 전부일 수도 있다. 신희현의 경우는 그 하나가 전부다. 그것도 사기를 친 거였지만.

그녀가 방긋 웃으며 인사했다.

"근거리 딜러, 박승희예요."

가슴을 가리고 살짝 허리를 숙였는데, 완전히 타이트한 소재의 옷을 입고 있는지라 가슴이 출렁거리는 게 훤히 보였다.

"아시겠지만 저는 단도를 사용하는 근거리 딜러예요."

서지석도 인사했다.

"힐을 담당하고 있는 서지석입니다."

플레이어들끼리 간단한 인사를 나눴다.

신희현, 신희아, 강민영, 신강철, 강유석, 박승희, 서지석, 최보성으로 이루어진 8인이 플로리아 던전으로 향했다.

서지석이 질문했다.

"빛의 성웅께선…… 정말로 길잡이…… 인 겁니까?"

"그렇습니다. 파티 구성을 보시면 아실 텐데요."

8명의 팀. 탱커, 딜러, 힐러, 버퍼로 구성되어 있다. 서지석이 아는 한 길잡이는 없었다. 그렇다면 역시 빛의 성웅이 길잡이라는 소리인데.

"……."

"플로리아 던전 역시 제가 발견한 던전입니다. 8명의 인원 제한이 걸려 있어서 함께 하는 거지, 아니었다면 그 전에 제가 팀원들을 데리고 클리어했을 겁니다."

사실 서지석은 최용민으로부터 특별한 명령 하나를 더 받아왔다. 정말로 클래스가 길잡이가 맞는지 확인하라는 것이었다.

신희현은 그 사실을 이미 눈치채고 있었다.

'아마도 최용민이 무언가를 지시했겠지.'

서지석은 최용민과 굉장히 가까웠었다. 측근이라 할 수 있었다. 그걸 알고서 일부러 서지석을 고른 거다. 길잡이가 맞는다는 것을 증명해 보이기 위해서.

플로리아 던전에 입장했다. 알림이 들려왔다.

[던전, '플로리아'에 입성했습니다.]

[현재 인원: 8명]

[클리어를 진행할 수 있습니다.]

그와 동시에 풍경이 바뀌었다. 커다란 호수가 나타났다. 신희아가 눈을 동그랗게 떴다.

"크, 크다……!"

너무 커서 어찌 보면 바다처럼 보이는 호수였다. 저만치 멀리, 직선거리로 따지면 약 1㎞ 정도 떨어져 있다 짐작되는 곳에는 섬이 하나 보였다.

강민영은 감탄했다.

"물 엄청 맑아."

물론 이곳에 모인 모두가 안전지대를 벗어나는 바보 같은 짓은 하지 않았다. 길잡이의 안내 없이 던전을 돌아다니는 건 자살행위나 다름없다는 걸 모두가 알고 있었다.

신희현은 주변을 둘러봤다.

'딱히 단서 될 것은 없네. 호수와 섬. 두 개인가.'

그렇다면 답은 정해져 있다. 이 물을 건너서 저 섬으로 가야 했다. 안전지대를 벗어나지 않은 상태로 신희현이 입을 열었다.

"보통 이런 경우 섬으로 갈 수 있는 어떤 수단이 마련되어 있게 마련입니다. 어딘가에 나무 같은 것이 있어서 뗏목을 만들 수 있다거나, 어떤 아이템이 있다거나."

그 말에 플레이어들이 주위를 둘러봤다. 하지만 나무 같은 건 보이지 않았다.

"물론, 후자의 경우가 훨씬 더 많지요. 어떠한 아이템을 가지고 있는 경우."

씨익 웃었다.

"저는 길잡이입니다."

길잡이라면 응당.

"이 정도는 다들 챙기고 다니는 거 아니겠습니까?"

인벤토리에서 보트를 하나 꺼냈다. 10명은 족히 탈 수 있을 법한 고무보트였다. 서지석은 속으로 침음성을 삼켰다.

신희현은 '이 정도는 다들 챙기고 다니지 않냐'고 말을 하고 있지만.

'누가 저런 걸 챙기고 다닙니까…….'

서지석은 저런 거 가지고 다니는 길잡이는 단 한 번도 본 적이 없다.

신희현은 자신이 길잡이라는 걸 다시 한 번 강조했다.

"이 정도는 길잡이라면 다들 갖고 다니는 거죠. 다만 이걸 가지고 저 섬까지 가도 되느냐, 되지 않느냐를 결정해야겠죠."

박승희가 반달웃음을 지었다. 신희현의 말에 적극적으로 호응했다. 딱히 의도하지는 않은 것 같은데 커다란 가슴이 좌우로 출렁거렸다.

"어떻게 하면 좋죠? 혹시 저 안에 수중 몬스터가 있을지도 모를 일이잖아요."

"다들 이 정도는 챙기고 다니지 않나요?"

서지석은 잠자코 신희현을 쳐다봤다. 이번엔 과연 어떤 게 나올 것인가. 신희현이 뭔가를 꺼냈다.

"고깃덩이와 물고기 밥입니다."

신희현은 단도를 꺼내더니 자신의 손가락을 그었다.

"수중 몬스터라고해서 전부 위험한 건 아닙니다. 물고기가 전부 위험한 건 아니잖아요. 다만, 알아봐야 할 몇 가지가 있습니다."

고기에 피를 묻혔다.

"첫째, 피에 반응하는 육식성 수중 몬스터가 있을 수 있고."

물은 굉장히 맑았다. 그곳에 피를 잔뜩 묻힌 고깃덩이를 집어 던졌다. 별로 반응이 없었다.

"둘째, 물고기 밥에 반응하는 일반 수중 몬스터가 있을 수 있습니다. 그나마 요놈들이 덜 위험하죠."

물고기 밥을 풀었다. 가루 형태의 밥. 그랬더니 작은 물고기들이 몰려들어 그것을 잽싸게 먹어 치웠다.

"시간이 좀 더 필요합니다. 계속 풀다 보면 깊은 곳에서 큰 놈이 나타날 수도 있거든요."

서지석은 신희현을 물끄러미 쳐다봤다. 그도 길잡이를 많이 경험해 봤지만 이렇게 여유 있는 길잡이를 본 적은 없다. 마치 정답을 미리 알고 풀어가는 느낌이 들었다.

'길잡이가…… 정말로 맞는 건가……?'

조금 혼란스러워졌다.

"민영아, 규모는 크지 않아도 좋으니 파이어 볼 여러 개를 만들어서 날려봐."

불로 이루어진 동그란 물체가 수면 위를 날았다.

"빛에 반응하는 놈들도 있게 마련이거든요. 특히나 빛에 반응하는 수중 몬스터의 경우, 대부분이 덩치가 매우 큽니다. 공격력은 둘째 치고 보트가 전복될 수도 있어요. 그러니까 민영이 너는, 만에 하나 그런 놈들이 있을 것을 대비해서 보트와 거리를 확보한 상태로 파이어 볼을 지속적으로 유지해 줘야 해."

신희현은 주변을 둘러봤다. 신희현에게 익숙한 플레이어들 말고. 이번에 새로이 합류한 플레이어들은 어안이 벙벙했다.

이 정도는 다들 챙긴다고 하는데, 무슨 저런 준비성 철저한 길잡이가 다 있나 싶다가도 마치 이곳을 이미 경험해 본 것 같은 여유와 노련함에 침을 꿀꺽 삼켰다.

박승희가 호들갑을 떨었다.

"역시 빛의 성웅님은 대단하시네요. 엄청 믿음직스러워요."

목소리에는 애교도 듬뿍 묻어 있었다. 신희현이 말을 이었다.

"그리고 가장 중요한 것을 아직 말 안 했습니다."

가장 중요한 것. 이제 말을 할 거다. 신희현의 눈이 강유석을 향했다. 강유석도 그 눈빛을 느꼈다. 그도 신희현을 쳐다봤다.

신희현이 말했다.

"강유석 씨. 영역 선포, 가능합니까?"

11장
준비해라, 윈더

신희현이 물었다.

"영역 선포, 가능합니까?"

"……."

강유석은 잠시 말을 멈췄다. 서지석과 박승희도 강유석을 쳐다봤다. 그들은 영역 선포가 뭔지 모른다.

강유석이 대답했다.

"……가능합니다."

"좋네요."

신희현이 피식 웃었다. 벌써 영역 선포가 가능하다니. 굉장히 빠른 성장이다.

'확실히 천부적인 재능이라는 게 있는 건가.'

자신과는 약간 다른 타입이라는 걸 안다. 신희현은 죽을 위기를 수차례 넘겼고 노력에 노력을 더해서 그때의 자리까지 갔다.

그마저도 강유석과 같은 최상위 스페셜 클래스라고 보기엔 어려웠다. 최상위급 플레이어임에는 틀림없었지만, 그 최상위급에서도 약간 2군의 느낌에 가까웠다.

그에 반해 강유석은 자타가 공인하는 1군 중에서도 1군, 최상위 플레이어였다.

'그때의 강유석과는 분명 다르긴 달라.'

맨 처음 강유석을 만났을 때, 강유석은 정상에 가까웠다. 꿈도 있었고 열정도 있었다. 세상을 위해 뛰겠다는 마음가짐까지도 있었다. 그러던 놈이 1년 만에 엄청나게 변했었지만.

"강유석 씨가 물의 정령을 다루는 소환사인 것은 일찍이 알고 있었습니다."

"예."

"어떻게 기술의 이름을 알고 있는지 궁금한 모양이네요."

"……."

답은 간단하다.

"저도 소환사이기 때문에 알고 있습니다."

강유석은 물론이고 서지석과 박승희가 깜짝 놀랐다. 박승희가 물었다.

"그, 그게 무슨 말이에요?"

분명 길잡이라고 했었는데. 그러면서 은근슬쩍 신희현에게 가까이 붙었다. 우연의 일치인지는 알 수 없으나, 강민영이 신희현과 박승희 사이에 섰다. 아까까지는 분명 반대편에 있었는데 말이다.

"저는 듀얼 클래스입니다."

어차피 속일 생각은 없다. 모든 패를 드러낼 생각은 없지만 모든 걸 감출 수도 없다.

게다가 지금이야 듀얼 클래스가 거의 없지만 이후에는 꽤 많은 숫자의 듀얼 클래스가 생겨나게 된다. 이 정도 정보는 미리 풀어도 상관없다.

"자세한 설명은 추후 공략 업데이트를 통해 하도록 하겠습니다. 지금 중요한 건 플로리아 던전 클리어죠."

박승희가 밝게 웃었다.

"맞아요. 제가 너무 호들갑을 떨었네요."

그녀는 호감 가득한 미소를 신희현에게 보냈다.

빛의 성웅, 보면 볼수록 마음에 드는 남자다. 목표를 정해 놓고 달려가는 노련한 사냥꾼 같았는데.

'섹시하네.'

나이는 어려도 그 자체로 섹시한 기운이 물씬 풍겨져 나왔다.

강민영은 조금 불쾌해졌다. 자기 남자가 잘난 것은 좋지만 저렇게 '나 여자요' 페로몬을 폴폴 풍기며 접근하는 여자, 정말 별로다. 그렇다고 뭐라고 할 정도의 스킨십도 없고.

신희현이 말했다.

"강유석 씨, 영역 선포가 어느 정도 가능한지 보여주시겠습니까?"

영역 선포는 특정 계열의 속성을 가진 마법사 혹은 정령사가 사용하는 스킬이다.

가령 불을 다루는 마법사인 민영의 경우, 불이 있는 곳에서는 일정 영역을 자신의 공간으로 삼을 수 있다. 영역 선포가 완료된 공간은 말 그대로 시전자에게 귀속된다.

그녀가 적으로 인식한 대상에게는 불이지만, 동료로 인식한 대상에게는 더 이상 위협적이지 않게 된다.

"영역 선포는 마법사보다는…… 정령사에게 더욱 특화된 기술이죠. 그리고 당연히 아시겠지만 스킬을 구동할 때엔 스킬명을 항시 외쳐 주시기 바랍니다."

정령사는 어떤 속성을 가진 정령을 다룬다. 그 속성에 대한 친화력이 마법사보다 훨씬 높다. 마법사는 인위적으로 어떤 속성을 만들어내 가공하여 사용하는 클래스이고, 정령사는 그 속성 자체를 활용하는 클래스니까.

강유석이 말했다.

"영역 선포."

호수의 물이 약간 빛났다.

'너비는……'

고무보트를 충분히 감쌀 수 있을 정도는 됐다.

'가로세로 약 3미터 정도 되는 건가.'

정확하게는 모르겠지만.

'깊이는 약 30센티 정도.'

가로세로 3미터, 깊이 30센티 정도가 영역으로 선포됐다.

'준비는 다 됐네.'

일종의 안전지대를 만든다고 할 수 있겠다. 그런데 이 영역이 만능은 아니다. 이 영역을 깨뜨릴 만큼 거대한 힘이 작용하거나, 그 영역보다 속성의 힘이 강하다거나 하면 영역선포는 깨지게 된다.

예를 들어 강유석 같은 초보(?) 정령사는 거대한 에너지를 가진 '해일'을 다룰 수는 없다. 영역 선포를 깨뜨리고 접근할 수 있는 강한 몬스터가 있어도 마찬가지다.

"어쨌든 준비는 대충 된 것 같네요. 중간중간 고깃덩이와 물고기 밥을 풀면서 조금씩 전진하도록 하겠습니다."

출발 전, 아주 사소한 문제가 조금 생겼다.

'바람이 조금 빠져 있네.'

그래서 정령왕 칸드를 불렀다. 그리고 교감을 통해 명령했다. 바람 빠진 고무보트에 바람을 넣으라고.

칸드가 황당한 듯 되물었다.

"진심이냐?"

"……."

"진심이냐고……?"

칸드도 안다. 신희현은 지금 진심이다. 교감을 통해 확실히 느껴졌다. 그래서 더 짜증 났다. 그는 바람의 정령왕이다. 그런데 고무보트에 바람을 넣으라고? 불의 정령왕 놈이 들으면 아주 배꼽을 잡고 웃을 일이다.

'젠장.'

에메랄드빛 바람이 조금 붉게 변했다.

'어떻게 저딴 놈이 라이나 누님의 선택을 받은 거야?'

싫으나 좋으나 신희현의 수호신이 라이나다. 칸드는 손가락을 휙 움직였다. 고무보트에 바람이 빵빵하게 찼다.

그러다가 칸드는 강유석을 발견했다.

"차라리 저놈이 나을 뻔했는데."

정령에 대환 친화력이 훨씬 더 좋아 보인다. 지금 당장 엄청난 전력을 갖고 있는 건 아니었지만, 그래도 지금의 주인 놈보다는 훨씬 좋다고 생각했다.

"꼬맹이, 너 물의 정령사냐?"

"예."

강유석은 칸드를 쳐다봤다. 아무래도 상급 정령인 것 같았다. 정령왕일 거라고는 생각 못 했다.

"자질이 제법 좋네. 열심히 노력해 봐라. 혹시 아냐. 엘키아 놈을 소환할 수도 있잖아."

강유석은 고개를 갸웃했다.

"엘키아……?"

엘키아가 뭔지는 알 수 없었다. 신희현이 칸드를 역소환했다. 하지만 이내 곧 재소환됐다.

에메랄드 바람이 다시 붉은 바람으로 변했다.

붉은 바람 칸드가 황당해했다.

"나보고 보트를 밀라고?"

신희현이 고개를 끄덕였다. 바람을 불어 보트를 미는 것 정도는 큰 체력을 필요로 하지는 않는다.

"주인, 진심이냐?"

"……."

"아니, 그래도 내 체면이 있지. 정령적으로 너무한 처사 아니냐?"

"……."

칸드는 숨고 싶었다. 물의 정령왕 엘키아가 이 사실을 안 다면 얼마나 비웃을까. 쪽팔렸다.

칸드는 협상에 들어갔다. 교감을 통해서 말이다.

'주인, 정 그러면 내가 다른 놈을 불러줄게. 어떠냐? 정령 적으로 정령왕이 이런 허드렛일을 할 수는 없지 않냐?'

신희현이 피식 웃었다.

'누굴?'

'하급 정령 실피아 정도면 충분할 거다. 이 정도면.'

신희현이 고개를 저었다.

'어디서 그딴 걸로 쇼부를 보려고.'

쇼부가 무슨 뜻인지는 모르겠다만 칸드는 대충 알아들 었다.

'그, 그러면 중급 정령 실피드는 어떠냐? 중급이면 차고 넘친다.'

신희현이 피식 웃었다. 이러다가 좀 더 높은 등급의 정령 을 공짜로 부릴 수 있는 게 아닐까 싶었다.

사실 정령왕 칸드는 그냥 부리기에는 능력이 너무 넘친다.

제대로 된 공격 한 번 하면 체력이 바닥난다. 효율성 면에서 정령왕보다는 그보다 하급 정령을 다루는 게 훨씬 유리하다.

'나는 네가 좋아. 중급은 너무 약해.'

참고로 중급 정령을 소환하는, '순수 정령사'의 레벨이 약 150 정도 된다. 신희현은 정령사가 아니다. 소환사인데 하필이면 정령왕을 소환했을 뿐이다.

일반적으로 소환사가 처음 소환한 형태의 소환수를 연속해서 소환한다는 것을 생각하면 신희현은 '듀얼 소환사'라고 할 수 있을 법했다.

'그, 그렇다면 상급! 상급은 어떠냐! 상급 정령 윈더를 붙여주마!'

교감을 통해 칸드의 다급함이 밀려들었다. 아무래도 물의 정령을 다루는 정령사 앞에서 이런 허드렛일을 하기는 정말 싫은 모양이었다.

'좋아, 이제야 협상을 좀 할 줄 아네.'

교감을 통해 느끼기로 상급 정령쯤 되면 차고 넘치는 능력을 가지고 있을 거다. 칸드는 안도의 한숨을 내쉬었다.

'놈도 이런 일은 싫겠지만.'

그래도 어쩌랴.

'내가 왕인데. 내 말 듣겠지.'

허드렛일을 하기 싫은 왕은 신하를 내보내기로 했다.

좋은 말로 해서 신하고, 나쁜 말로 하면.

'그래, 꼬봉 보내라.'

꼬봉이다.

알림이 들려왔다.

[바람의 정령왕 칸드가 역소환되었습니다.]

[정령왕의 특권으로 인하여 '상급 정령 윈더'의 소환 절차가 진행됩니다.]

[축하합니다!]

[스킬, '윈더의 소환'이 생성되었습니다.]

강민영이 신희현의 팔을 살짝 쳤다.

"오빠⋯⋯?"

"아, 미안합니다. 바로 시작하죠."

신희현은 지체하지 않고 상급 정령 윈더를 소환했다. 바람이 불어닥쳤다. 윈더는 말이 없었다. 엘렌과 비슷한 형상을 하고 있었다. 날개를 달고 있는 바람. 일반적인 사람보다는 약간 작은 크기로, 약 1미터 50센티 정도 되는 크기였다.

윈더는 신희현을 향해 가볍게 고개를 숙여 보였다.

'불어.'

후웅—!

바람이 불기 시작했다. 고무보트가 전진했다. 어쨌든 상급 정령 윈더는 새로운 주인을 만났다.

'……'

이런 일을 하게 될 줄은 몰랐지만.

칸드 님에게 속은 것 같은 기분이 들었다.

섬이 점점 가까워졌다. 강민영이 스킬명을 외쳤다.

"파이어 볼!"

불로 이루어진 구체가 이리저리 날아다녔다. 빛에 반응하는 수중 몬스터가 있으면 피곤해진다. 나타나더라도 멀찌감치 나타나게 하는 게 좋다.

그래서 강민영은 파이어 볼을 포물선 모양으로 높이 쏘아올린 뒤, 저만치 앞 수면위에서 둥둥 떠 있게 만들었다.

신희현은 강유석을 쳐다봤다.

'윈더와의 연계도 좋고.'

무엇보다 영역 선포를 일정하게 유지하고 있다. 비록 완벽하지는 않아도 지금 이 보트는 움직이는 안전지대가 된 셈이다.

'집중력이 뛰어나.'

강유석. 과거 최강의 플레이어. 그러나 미친 폭군.

'나는 어떻게 해야 하지?'

여기서 강유석을 죽인다면 쥐도 새도 모르게 죽일 수 있다. 하지만 과연 그게 맞는 길일지는 알 수 없었다. 다르게 생각하면 엄청난 가능성을 가진 인재를 죽이는 거니까.

강유석을 만약 제대로 키워서 품 안에 거둘 수만 있다면, 그렇다면 대단한 전력을 얻을 수도 있다.

그때 강유석의 영역이 조금 흐트러지는 게 보였다. 강유석이 말했다.

"무언가가 접근합니다."

신희현도 느꼈다. 아니, 아까 전부터 이미 느끼고 있었다. 고무보트가 약간씩 흔들리는 걸 느꼈다. 신희현쯤 되는 길잡이는 이 미세한 진동마저도 잡아낸다. 길을 읽는 클래스 길잡이다. 수면을 읽는 것 역시 불가능한 건 아니었다.

"느끼고 있었습니다."

이 정도 진동.

"민영이가 쏘아낸 파이어 볼에 반응하고 있고. 그쪽을 향해 움직……."

그때 첨벙! 하고 물보라가 일었다.

"세, 세상에."

신희아가 깜짝 놀랐다.

"엄청 큰 물고기네."

방금 뭔가가 튀어 올랐다. 파이어 볼을 향해 몸을 던졌다가 다시 물속으로 들어갔다. 파도가 일었다. 고무보트가 뒤집힐 듯 휘청거렸다.

신희현은 짧은 시간 동안 놈을 파악했다.

'큰입연어?'

상대하기 까다로운 놈인데.

'순순히 섬에 들여보내 주진 않는다는 건가.'

박승희도 눈을 크게 떴다.

"바, 방금 그건 뭐죠?"

강유석이 말했다.

"영역 선포가 깨졌습니다. 다시 시도할게요."

그때 다시금 커다란 몬스터 하나가 물 밖으로 높이 뛰었다. 강민영이 쏘아올린 파이어 볼을 향해 입을 크게 벌리면서 날아올랐는데.

"떠, 떨어져요!"

문제는 높이 뛰어오른 놈이 보트를 향해 떨어지고 있다는 것. 크기가 약 4미터쯤 되어 보이는 물고기형 몬스터.

물고기의 그림자가 보트를 덮었다. 서지석이 짧게 내뱉었다.

"젠장."

신희아가 신희현을 붙잡았다. 보조 클래스인 그녀는 지금

이 상황에서는 무언가 도울 수 있는 게 없었다.

"오빠, 어떻게 좀 해봐! 떨어지겠어!"

교감을 통해 윈더의 생각이 흘러 들어왔다. 신희현이 씨익
웃었다.

'준비해라, 윈더.'

윈더와 한번 호흡을 맞춰보기로 했다. 상급 정령의 능력을
확인도 해볼 겸.

12장
얼라이브 or 앱노멀?

윈더는 위를 쳐다봤다. 커다란 생선이 하늘 높이 떴다.

'공격하겠습니다.'

오늘은 주인과 처음 계약한 날이다. 정령왕의 특별한 명령으로 말이다.

[스킬, 칼날을 사용합니다.]

만약 칸드의 스킬이었다면 '바람 칼날' 정도가 될 거다. 각 속성의 최상급 정령 이상만이 스킬명에 그 속성을 붙일 수 있다. 당연히, 정령왕쯤 되면 대부분의 스킬에 '바람'이란 글자가 붙는다.

신희현 역시 기대가 컸다.

'어느 정도의 위력을 보일지.'

보통 바람은 파괴력에 중점을 두는 속성은 아니다. 파괴력에 중점을 둔 속성은 화염이나 뇌전이다.

하지만.

'절삭력은 바람이 훨씬 뛰어나지.'

칸드와 비교하면 조금 더 탁한 색의 에메랄드빛 바람이 하늘로 솟구쳐 올랐다.

강유석은 침을 꿀꺽 삼켰다. 모르긴 몰라도 빛의 성웅은 톱클래스의 정령사가 틀림없었다.

'정령사임과 동시에 길잡이.'

전율이 일었다. 그는 정령사라서 느낄 수 있다. 지금의 저 정령. 굉장히 큰 힘을 가지고 있다.

아까 나타났던 그 성인 남자 모양의 정령보다도 더 강력해 보였다. 사실 아까 그 성인 남자는 힘이 거의 느껴지지 않았다. 왠지 강할 것 같다. 그 정도 느낌이었지.

'더 강력한 정령을 소환한 것이 틀림없어.'

원래 아는 만큼만 보이는 법이다.

그때, 탱커인 최보성이 두 눈을 끔뻑거렸다.

"오 마이 갓."

저런 게 만약 자신에게 달려든다면? 상상하기도 싫다. 탱커고 뭐고 온몸이 잘려 나갈 것 같은 기분이 들었다.

놀란 건 최보성만이 아니었다. 박승희는 입을 쩍 벌렸다.

"세상에……."

날카로운 바람이 큰입연어를 8조각으로 나눠 버렸다. 볼 것도 없이 즉사다.

그녀는 황급히 입을 다물었다.

'못 봤겠지?'

그리고 눈웃음을 지었다. 힐끗 신희현을 쳐다봤다. 최대한 예쁘게 보여도 모자랄 판에 저도 모르게 입을 쩍 벌렸다. 얼른 표정을 관리하며 배시시 웃었다.

'엄청난 절삭력이다.'

아무리 날카로운 칼이라 할지라도 몬스터를 한 번에 썰어 버리는 것은 불가능에 가깝다. 이 시스템에는 공격력 개념과 방어력 개념이 있기 때문이다.

지금의 이 상황은 저 바람 정령의 공격력이 지나치게 강하든지, 저 몬스터의 방어력이 지나치게 낮든지 그런 상황인 거다.

혹은 둘 다이거나.

윈더는 의기양양해졌다. 신고식을 잘 치른 것 같았다. 물론, 내색은 하지 않았다.

'체통을 지켜야겠지.'

라고 생각했는데.

'윈더, 물어 왓.'

……응?

교감이 잘못된 것 같은 기분이 들었다.

상급 정령인 자신한테 저런 생선 대가리의 시체를 주워 오라니. 아니, 주워 오라는 것도 아니고 물어 오라니. 이 무슨 경우인가.

……뭔가, 칸드에게 속은 것 같은 기분이 확신으로 변해갔다.

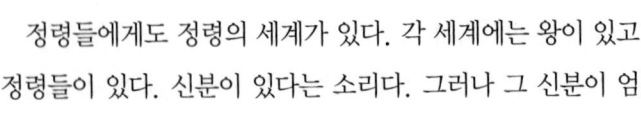

정령들에게도 정령의 세계가 있다. 각 세계에는 왕이 있고 정령들이 있다. 신분이 있다는 소리다. 그러나 그 신분이 엄청난 위계질서를 뜻하는 건 아니다.

기본적으로 정령들은 서로를 존중하는 편이며 서로를 강제하는 경우도 없다.

그건 왕이라 해도 마찬가지다. 정령왕 칸드가 말했다.

"윈더들 잠깐 와봐."

바람의 상급 정령 모두가 윈더라고 불린다. 정령들은 특수한 의사소통 체계를 가지고 있다. 똑같이 윈더라고 불러도 누가 누구를 지칭하는지 자연스레 안다. 윈더들이 몰려들었다. 윈더들의 성격 역시 제각각.

"왜요?"

"아 바쁜데. 왜요!"

"어째서 부르셨어요?"

"칸드 님, 오늘도 여전히 못생겼어요."

"어맛? 얘 봐라. 칸드 님 완전 잘생겼거든?"

칸드는 이런 상황에 매우 익숙하다. 저런 대화, 어차피 신경 안 썼다. 이들에게 매우 좋은 미끼가 있다.

"너희들, 내가 최근에 인간이란 계약한 거 알지?"

윈더들 중 한 명(?)이 말했다.

"물론이죠. 게으름뱅이 우리 칸드 님이 계약을 하시다니! 놀라운 일이에요."

"내가 왜 계약을 했는지 아냐?"

"왜요?"

"빛의 여신 라이나 님이 수호신으로 있거든."

윈더들이 조용해졌다. 그랬다가 이내 '말도 안 돼!'라면서 왁자지껄 떠들었다.

"진짜야. 내가 그 정도 아니면 계약을 했겠냐? 아직 약해 빠진 인간인데 나를 감당할 수도 없어."

"화, 확실히 그건 그래요."

미끼를 던졌다.

"자, 그런 영광의 자리에 함께할 정령?"

다들 눈치를 봤다.

"빛의 여신 라이나 님과 함께할 수 있는 영광이 있어."

물론 칸드는 라이나를 본 적이 없다. 딱 한 번 봤다. 처음 계약할 때.

"지, 진짜예요?"

"당연하지. 라이나 님이 아무 인간이나 지켜주시겠어?"

윈더들이 자원했다. 칸드는 그중에서도 충직하고 말이 없는 편인 윈더 한 명을 선발했다.

칸드는 생각했다.

'얘가 제일 뒤탈 없을 거 같아.'

하지만 말은 이렇게 했다.

"평소 우직하고 믿음직스러워서 신뢰가 두터운 윈더. 네가 가장 적격이겠어."

"……감사합니다."

윈더는 다짐했다.

'계약자와 함께…… 포부를 펼치겠다.'

윈더는 그때까지만 해도 아주 기뻤다. 겉으로 티는 내지 않았지만, 하여튼 그는 기뻤고 다른 정령들도 부러워했다.

'물어 왓!'

……그런데 역시 뭔가 속은 기분이다.

'기분 탓이겠지……?'

신희현은 원더를 운용하면서 느꼈다.

'이 정도 규모의 스킬이면 20번 정도는 거뜬하겠어.'

만약 정령왕으로 이런 스킬을 펼쳤으면 한두 번 하면 녹다운되고 말았을 거다.

같은 힘을 발휘하는 스킬을 쓰더라도 기본적으로 정령왕을 쓰는 게 체력이 많이 잡아먹으니까.

'운 좋네.'

공갈 협박 및 사기로 상급 정령을 얻었다. 그 상급 정령 역시 정령왕에게 사기를 당했다는 걸, 신희현은 알 수 없었다.

신희현이 피식 웃었다.

"이 정도는 다들 챙기고 다니죠?"

그가 꺼내 든 것은 다름 아닌 통조림 키트. 그제야 플레이어들은 고개를 끄덕였다.

통조림 키트는 길잡이들의 필수 아이템이라 할 수 있었다. 조건에 맞는 음식을 통조림으로 만들어 보관할 수 있도록 해주는 아이템. 비상식량을 구비하는 데 필수라고 할 수 있다.

박승희가 배시시 웃었다.

"그거 저도 많이 봤어요. 길잡이분들이 꼭 가지고 다니더라구요. 어쩜, 길잡이분들은 준비성이 정말 철저하신 것 같아요. 멋져요."

신희현은 원더가 수거해 온 큰입연어를 통조림으로 만들었다. 좋은 수확이었다. 큰입연어는 굉장히 좋은 식량이다. 영양도 풍부하고 원기 회복에도 도움이 많이 된다.

'가만.'

큰입연어는 좋은 식재료.

'이거 담수겠지?'

그리고 여기에는 풍부한 물이 있다. 신희현이 손으로 물을 떠마셨다.

'괜찮네.'

만약 이상한 것이었다면 불굴의 의지가 저항했을 거다. 몸에 작용하는 모든 나쁜 작용에 저항하니까.

'여기에 큰입연어가 있고, 담수가 있다라.'

기본적인 생존 요건은 만족된 셈이다. 물과 식량, 기후도 나쁘지는 않았다. 밖에서 자도 될 법했다.

'어쩌면 클리어 시간이 길어질 수도 있겠어.'

피식 웃었다. 길잡이로서의 피가 끓어오르는 기분이다. 그때, 또다시 큰입연어가 뛰어올랐다.

'식량을 많이 준비할 필요가 있겠네.'

그러려고 했는데.

"불 지창."

강민영이 스킬명을 내뱉었다. 불로 이루어진 창 하나가 세차게 타올랐다. 고무보트에는 영향이 없었다. 그만큼 강민영은 자신의 마법을 세심하게 컨트롤하고 있는 중이었다.

불로 이루어진 창은 하늘 높이 날아올랐고 큰입연어를 꿰뚫어버렸다. 거기에 더해.

"다연장 불화살."

불화살 수십 개가 피어올랐다. 불화살들이 마치 유성이 거꾸로 쏟아지듯 하늘을 향해 쏘아졌다.

오른손으로 수인을 맺으면서 다연장 불화살을 유지했고.

"불 지창."

왼손으로 수인을 맺으며 쿨타임이 끝난 불 지창을 다시 사용했다. 말로는 길어도 이 모든 과정이 2초가 채 걸리지 않았다. 엄청난 속도였으며 컨트롤 능력이었다.

큰입연어는 한순간에 새까맣게 불타 버렸다. 신희현은 고개를 갸웃했다.

"민영아……?"

민영의 능력이야 이미 알고 있다. 강유석에게 천부적인 재능이 있다면 강민영에게도 그에 못지않은 재능이 있었다.

그 사실은 분명히 안다. 하지만 강민영은 리더의 가이드 없이 스스로 행동하지는 않았다.

그녀는 팀플레이의 중요성을 잘 알고 있었고, 함부로 행동하는 것이 팀원 전체를 위험하게 만들 수 있다는 것도 알았다. 그래서 팀장의 말이 없으면 개인 행동을 하지 않는 편이었다.

신희아는 확신했다.

'민영 언니 열 받았다.'

신희아는 봤다. 강민영의 눈빛이 박승희를 향했다는 걸. 물론 지금 강민영은 웃고 있다. 웃고 있지만 신희아는 그 안에서 살기를 느꼈다.

'오빠, 조심해야겠네. 민영 언니 뿔났어.'

아무리 생각해도 이건 오빠 잘못이다. 저 불여시가 지금 사심을 갖고 접근해 오고 있는 게 빤히 보이는데, 아무런 대응도 없지 않은가. 하다못해 강민영과 스킨십이라도 좀 하든가. 너무 무방비해 보였다. 사실 신희현은 별생각 없지만. 아니, 개념 자체가 없었지만 말이다.

박승희는 약간 긴장했다.

'저 여자 역시 엄청난 실력자네.'

빛의 성웅의 이름에 가려져서 그렇지 저 여자 역시 엄청난 실력자였다. 게다가 두 가지 마법을 동시에 구사했다.

그녀가 아는 한 두 개의 마법을 동시에 사용할 수 있는 마법사는 모든 플레이어를 통틀어서 한 명밖에 없었다.

이후로 큰입언어를 몇 마리 더 사냥했다. 상급 정령 윈더는 뭔가 속은 기분을 가지고 시체를 수거해야 했고 그 시체는 통조림이 되어 신희현의 인벤토리에 보관됐다.

강유석이 이마의 땀을 닦아냈다.

"드디어 도착이네요."

영역 선포를 유지하고 있느라 힘들었다. 긴장이 조금 풀렸다. 다리에 힘이 풀렸는지 주저앉을 뻔했다. 서지석이 그런 강유석을 부축해 줬다.

신희현은 강유석을 쳐다봤다.

'역시…… 처음의 강유석과 같아.'

폭군의 모습은 찾아볼 수 없었다. 지금의 강유석은 나쁘지 않았다. 아니, 오히려 착하고 성실했다. 영역 선포를 유지하고 있는 동안 팀원들에게 누가 되지 않기 위해 최선을 다했다. 신희현은 그걸 잘 알고 있다.

알림이 들려왔다.

[축하합니다.]
[플로리아 랜드에 도착했습니다.]
[중간 보상을 산정합니다.]

그런데 보상 조건이 조금 특이했다.

[전원 생존이 확인됩니다.]

[보상이 주어지지 않습니다.]

신희현은 인상을 찡그렸다. 이런 던전, 가장 싫어하는 던전이다. 플레이어가 많이 죽으면 죽을수록, 그 보상이 커지는 던전이다. 살아남은 플레이어에게 보상을 몰아준다.

신희현은 그 사실을 숨기지 않았다. 숨긴다고 숨겨질 것도 아니고.

"생존자가 많으면 많을수록 보상이 적어집니다."

서지석이 눈을 살짝 감았다.

"흠……."

이건 자신들에게 불리한 상황 아닌가.

빛의 성웅의 능력은 익히 봤다. 강민영이라는 저 여자 역시 만만치 않았다. 저들은 가족과 연인이라 했다. 끈끈하게 뭉쳐 있을 거다. 그러니 서지석 자신과 강유석, 박승희, 그리고 최보성에게 가장 불리한 상황 아니겠는가.

'이 상황에서…… 빛의 성웅을 무턱대고 믿어야 하는 건가.'

막말로 마지막 순간에 빛의 성웅이 자신들을 전부 죽이면 어떻게 되겠는가. 보상을 독차지하기 위해서 그럴 수도 있지 않은가.

"제게 나쁜 마음이 있었다면 이 정보를 풀지도 않았을 겁니다.”

신희현은 이 형태의 던전에 대해 잘 안다. 이곳에서 가장 무서운 건 몬스터나 함정이 아니라 플레이어다.

누차 강조했다.

“저는 보상을 독차지할 생각이 전혀 없습니다. 지난날의 제 행보가 그것을 모두 증명하고 있죠. 제가 보상을 독차지 하려고 했다면 공략 같은 거 풀지도 않았을 겁니다.”

그리고 또 말했다.

“보상에 눈이 멀어 동료를 배신하는 경우에는 가차 없 이…… 죽이겠습니다. 팀원에 대한 신뢰가 깨지는 순간, 우리는 모두가 잠재적인 적이 됩니다. 이 던전의 무서움이죠.”

“……”

던전 안에서는 죽여도 증거가 남지 않으니까. 특히나 인스턴트 던전이면 말이다. 신희현은 생각했다.

‘차라리 잘됐다.’

자신을 비롯한 팀원들이 위험에 빠질 상황은 거의 없을 거다. 기본적인 레벨 격차가 있으니.

다만.

‘강유석의 심성을 파악하는 데 도움이 되겠어.’

오히려 좋은 기회가 될 것 같다. 강유석이 어떤 행동 양식을 보이는지에 따라 강유석을 어떻게 할지 결정할 수 있을 테니까.

길잡이로서의 감이 계속 말해주고 있었다. 강유석을 죽이면 안 된다고. 순전히 감에 불과하기는 했지만 말이다.

신희현이 말했다.

"식수를 넉넉하게 챙기기 바랍니다."

섬은 그렇게 크지 않았다. 걸어서 이틀 정도면 한 바퀴를 돌 수 있었다. 섬에는 별다른 몬스터나 함정이 없었다.

신희아가 말했다.

"오빠, 섬에는 아무것도 없는 것 같아."

신희현도 고개를 끄덕였다. 그래도 혹시 모른다. 다시 한 번 주위를 살펴봤다. 뭔가 단서가 될 만한 것을 찾기 위해서.

다시 하루가 지났다. 신희현이 결론을 내렸다.

"아무래도 이 던전은…… 얼라이브 던전이거나 앱노멀 던전인 것 같습니다."

박승희가 또 눈웃음을 쳤다. 그녀는 피곤하고 긴장되는 와중에도 매일 아침이면 누구보다 일찍 일어나 화장을 예쁘게 했다. 목소리에 애교를 듬뿍 담아 되물었다.

"얼라이브 던전이요? 그게 뭐예요? 앱노멀 던전……? 뭔가 어감이 안 좋네요."

to be continued